文學叢刊

劉愛微著

回眸

文史哲出版社印行

國家圖書館出版品預行編目資料

回眸 / 劉愛微著 . -- 初版 -- 臺北市：文史哲
民 108.08
頁;　公分（文學叢刊；409）
ISBN 978-986-314-483-0（平裝）

863.55　　108013403

文學叢刊 409

回眸

著　　者：劉愛微
校 對 者：粘香梅
出 版 者：文史哲出版社
http:// www.lapen.com.tw
e-mail：lapen@ms74.hinet.net
登記證字號：行政院新聞局版臺業字五三三七號
發 行 人：彭正雄
發 行 所：文史哲出版社
印 刷 者：文史哲出版社
臺北市羅斯福路一段七十二巷四號
郵政劃撥帳號：一六一八〇一七五
電話886-2-23511028・傳真886-2-23965656

定價新臺幣三〇〇元

二〇一九年（民一〇八）十月初版

ISBN 978-986-314-483-0　　10409

本書謹獻給

最敬愛的父母親大人

與

此生曾護持過我　鼓勵過我的

家人　親友　師長們

以及

每一位熱愛生命的有情眾生

回眸

目次

自序——回首與凝眸之間

很多很多年以前。

一個火傘高張的屏東午后。

好幾位比她年長了一些或許多的男孩，潑猴一樣地，攀爬到一株枝繁葉茂，幾乎快半天高的芒果樹上，嘻嘻哈哈地，大啖著香甜無比的芒果。

一直杵在樹下，急得一頭一臉，分不出是汗還是淚的她，不停地哀求著：「……給我一粒嘛！拜託啦！小小一粒就好……。」

就在她叫嚷得渾然忘我之際，只聽得「啪噠」一聲，一粒拳頭大的青芒果從天而降，直直地砸在她的後腦勺上。她頓時覺得眼前一黑，幾乎同時，又有好幾粒果子天外飛來，她應聲倒地，四周一片闃靜。

那一年，她是個不到一百公分高的國小一年級生。

留在後腦勺上的，小錐子模樣的疤痕，從此成了印記，牢牢地跟著她一輩子。

又過了好幾年。

過了這個暑假，她就是初中三年級的學生了。

為了應付明年的高中聯考，她和一些沒有能夠到補習班補習的同學，就留在學校裡自修。

為了在聯考後，能拼出更漂亮的成績，學校裡的老師們，常常比學生還要來得緊張好幾倍。大多數的家長們，也願意讓孩子們留在學校裡讀書，留得多晚都可以。大人所以會這樣放心，是因為那個年頭人心還不壞，什麼強姦、性侵、家暴、綁票、撕票……的案子，很少發生。

正是發育年齡，已經飢腸轆轆了很久的她，那天晚上，在校門口告訴同學：「我今天不和你們一道了，我要從學校對面的公園，抄近路回家。」

「這麼晚了？走公園？你有病喔？聽說公園裡晚上有鬼……！」同學告訴她。

「誰說的？我才不怕！我肚子餓扁了，我想早一點到家。」她頭也不回地，奔進了公園。

入夜後的「中正公園」樹影婆娑，仲夏的月亮，彆彆扭扭地，躲在厚厚的雲層裡，不願意出來。幾盞昏黃的路燈，或明或暗，在夜霧朦朧中，顯得真有幾分鬼氣森森。

前面那一片公告欄裡，貼了什麼鬼東西？

前兩天，視力檢查的時候，校醫告訴她，她已經有一百多快兩百度的近視眼了，需要去配副眼鏡了。

她微微踮著腳，瞇著眼，只是想看一眼，佈告欄裡面，有什麼東西的念頭。

一顆完全沒有一絲血色的女性頭顱，怵目驚心地，懸掛在佈告欄的櫥窗裡。她覺得從頭到腳的血液都凝固了，涔涔的冷汗，嘩啦嘩啦地流了一地，但是一雙腳卻鐵杵似地，動也不能動。最駭人的是，她竟然看到頭顱下面，緊閉的雙眼，幽幽地睜了開來，幽幽地向她嗚咽著：「我死得……好苦喔……。」

她覺得兩股間有什麼在流動，她尿褲子了。

那天以後，她昏昏沉沉地，被大人架著、牽引著，到好幾處宮廟和神壇裡，由不同的仙姑、神婆、壇主和師父，餵她符水，跟著念咒、驅驚、消業障……。整整快一年，沒有人逼她念書。

有時候，她會希望自己能永遠停留在那一年的那個時候。看似渾渾噩噩、迷迷糊糊，卻時時刻刻被大人寵著、愛著、呵護著，可以不識煩惱，不解世故。

聯考前夕，這樁喧騰了年餘，台灣治安史上第二宗殺人分屍案，終於破了。死者叫陳富妹。殘忍地將她殺害支解的，是她的枕邊人盧家祥。

有人問她：「都幾十年前的事了，怎麼還記得他們的名字？」

「我也不知道。我就是忘不掉。」她怔怔地說

那一年的高中聯考，她擠進了省立屏東女中，雖然是掛車尾。

很多很多年過去了。

她念了大學，念了研究所，談了幾次悲悲切切，身心俱疲，不足為外人道也的戀愛，陸陸續續換了不少工作，也經歷了許多有的沒有的，可以寫成八點檔連續劇，也可以一言以蔽之，不再贅述的過往。結了婚，又走出了婚姻……。近四十歲時，才選定了年輕時候的志願——當老師。

退休前夕，自忖月到西山人未老的她，似乎有了一些可以和自己分享的東西：

挺年輕的時候，總以為生命會很長很長，總以為雖然每個人都會死，但是不會包括自己在內。後來才知道，生命，其實不過是一串串數字，數著，數著，不知不覺間，這一生，就快要數完了。

如果，她能提前站在生命的盡頭，回首、凝眸自己的來時路，她會怎樣看待處理自己的人生呢？

她一定要好好地活著，好好地珍惜善用，自己每一個階段的生命，她一定要好好地孝敬父母，因為他們才是她的天，是她的佛。她一定要好好地與周遭的人事物相處，再苦、再累，也不打退堂鼓，也不輕言放棄，因為她可要好好地品嘗這幾十年的人間煙火呢……！

她會提前了解，所謂貧富貴賤、得失成敗、吉凶禍福，是用來感覺的，不是用來比較的，而分別心、比較心、患得患失的心，只會讓心靈更為沈重跌宕，受傷的都是自己。

人生，就像火車軌道，要懂得轉彎的妙處，因為最美、最生動的風景，往往就在轉彎處出現。

一切全是念頭。

人生，也像一杯水，如果注入的是蜂蜜，就是甜的；如果注入的是鹽，就是鹹的。

一切全是態度。

她會提前了解，她這一生雖然充滿了缺憾和不盡如意，說到底，不就是許許多多因緣交織的生生滅滅嗎？

當我們在嘲笑、批評別人命運的時候，其實不知道，有一個命運，正在悄悄地等待著我們呢。所謂命運，究其實，就是加加減減、乘乘除除的因緣吧。

緣起，緣滅。緣聚，緣散。

如是因，如是果。如是而已。

所以一個人要覺悟，一定要經歷過程，要歷劫。才會了解，所謂姹紫嫣紅，當繁華落盡後，都是鏡花水月，過眼雲煙。

正因為她已經了解，回首，已留不住歲月；凝眸，也牽不住時光之時。她更要堅持這樣的念頭和態度：這個說長不長，說短不短的人生，要一直走下去，即使遭遇障礙，腳步顛簸，還是要挺住，一直一直堅持走下去，最後走出一條芬芳無比的道路出來。

如是，在回首與凝眸之間，她的身，她的心，她的整個身心世界，就會釋然平和清淨了。

劉愛微 謹識

一〇八年七月仲夏於燈下

卷一　回首（極短篇）

情話

她知道他是愛她的，卻暗暗怨艾著，自己和他的這樁已被所有人認同和祝福的愛情，是否少了些起伏跌宕、拍案驚奇的情節。

說得更明白一點，她怪他分明愛她，卻從來不曾對自己說一些好聽的情話。

那天，在靜靜的餐廳一角，她忽然放下沒有吃完的半碗飯，向坐在對面一直看著她吃的他說：

「我吃不下了。」

他若有所思地笑了笑，端過吃剩的那半碗飯，開始一口一口地吃起來。他吃得那麼自然，那麼開心，好像那是天下最美味的一道佳餚！

她楞住了。在她的記憶中，自幼至長，只有她的爺爺、奶奶、外公、外婆和父母親，才吃過她吃不完的剩菜和剩飯啊！而他卻……。

她覺得眼前的景物，逐漸潮溼起來。

他邊吃著飯，邊看著她說：

「妳知道嗎？如果有一天，咱們窮得只剩下一碗飯的時候，那一碗飯我一定會給妳吃。我發誓，一定說到做到。咦！親愛的，妳怎麼……哭啦？」

刊登於〈青年日報「青年副刊」〉

愛情不是花蔭下的語言，
不是桃花源中的蜜語，
不是輕柔的眼淚，
更不是死硬的脅迫，
愛情是建立在共同基礎之上的。

——英國　莎士比亞

哀愁

她自小就希望能遠離這個封閉的家族。

十六歲生日一過，她就收拾包袱，頭也不回地離開了。

儘管生活並不盡如人意，但是因為能擁有自己，她還是滿喜歡目前單身的生活。也因此，她才有比較充裕的心靈空間，回頭去探索那個家族裡，另外兩個女人的命運。

母親早在她孩提時候就去世了。於是她從另外一個女人——祖母著手，希望能剝開一個秘密的核。

雖然已經是白髮蒼蒼且二度中風，祖父卻堅持要坐在祖母一旁，為的是可以不時打斷，並且凌厲地否決祖母和她的對話。

天光淨淨的午后，祖母述說著一生的哀愁：由父親作主，十五歲時嫁給一個完全不認識的男人，幾乎不曾得到丈夫絲毫的關心和珍惜，沒有希望和憧憬……。曾經不顧一切地離去，為了孩子，還是不得不回來……。她唯一的女兒，也重複著和自己一樣的命運。

祖母邊說邊哭，她哭親愛骨肉短促的一生，也哭自己悲哀抑鬱的一生。在窗外僅餘一抹夕暉的時候，祖母抹去眼淚，當著共度一生的丈夫，對孫女靜定地說：

「我不愛他！走過這一生，我還是想離開他！」

刊登於〈青年日報「青年副刊」〉

最熱烈的是，
人的愛情，
但是最能提升的，
卻是人的心靈。

——佚名

冷灰

他們在即將崩塌的城堡中相遇，在一再的爭執與一再的言歸於好中相愛，一直到他離開。

自他離開後，她就不再打開那個抽屜。

怕的是，一旦打開，裡面的東西會撲將出來，傷了她，或將她吞噬。一直到點點霜白，終於飛上了她的青絲，她終於鼓足勇氣，將抽屜打開。

一張泛黃的離婚協議書，靜靜地躺在抽屜裡。

她靜靜地看著它，靜靜地將它撕成碎片，點上火柴，靜靜地看著它們，漸漸地化成一縷縷的冷灰，靜靜地向破碎的藍天飛去，最後靜靜地消失……。

他們當年是一對歡喜冤家，雖然彼此相愛，卻不知道真心相惜。在一次大吵之後，兩人都悻悻地表示：「乾脆離婚算了！」

就在他們正要蓋上印章的時候，他忽然臉色煞白，心臟病發，遽逝了。

每一個故事的情節都只能發生一回，不能重演。在他離開她以後，在永遠贖不回們對彼此付出的刻骨銘心的承諾後，她曾經幾度愧悔交集、痛不欲生……。

用過往的歲月抵押，無論是已過中年的她，還是已經逝去的他，都是遺憾吧！

刊登於〈中國時報「浮世繪」〉

生命中，
最富悲劇性格的是愛。
愛是幻想的產物，
也是醒悟的根源；
愛是悲劇的慰藉，
也是對抗死亡的唯一藥劑。

——西班牙　烏納穆諾

相思樹

初初相遇的時候，他和她已各有所屬，故事不再岔出更多的情節，也許就是最好的情節吧。

他和她都希望盡量地扮演好自己的角色，這個認知促使他們決定割捨私情，去成全對方。

互道珍重的那天夜晚，暮色中漂浮著濃得化不開的淒惻和憂傷。退卻和分開再是無奈，彼此都是第三者的他們，都不希望有人在這個越來越躭溺的感情中受到傷害。

時間，在逐日逐夜中，靜靜地沉澱著。而在逐日逐夜中，衍生出來的思念，卻兀自在風中，靜靜地滋長出一株強悍的大樹。

當晚風微微吹起，當夕陽透過心型的葉片，迸出朵朵暈黃的餘暉時，她倚在樹下，輕輕地問著一個沒有答案的問題：「有沒有一個地方，可以讓我不再想起他？」

同樣的時間，倚在一株大樹下的他，也輕輕地問著一個沒有答案的問題：

「有沒有一個地方，可以讓我不再想起她？」

他和她都不知道，如今的他和她，已不再各有所屬。

刊登於《大同月刊》四月號

這才是真正的愛。
無論你應允與否，
還是你拒絕也罷，
它都不會改變。

——德國　歌德

那一夜

賞月、玩月、踏月、攜月……，明月千里寄相思，月亮是如此的美麗，足令情人殷切盼望。

人間繫情事，何處不相思。杜甫的〈月夜〉詩頗堪尋味：

今夜鄜州月，閨中只獨看。
遙憐小兒女，未解憶長安。
香霧雲鬟濕，清輝玉臂寒。
何時倚虛幌，雙照淚痕乾。

一生飽受離亂之苦的杜甫，在「安史之亂」的漫天烽火中，帶著家小一路逃亡，最後不得不把家先安置在鄜州（今陝西西縣）。

肅宗在靈武即位，杜甫一心想去投奔，豈料在半路上竟被安部所俘，帶到長安。幸而杜甫官卑職小，未被囚禁，卻也只能暫時棲身長安城。

一個有月亮的夜晚，深情愛家的杜甫想家了。

他想念妻子，卻反寫千里外的妻子對月想念他，因佇立良久，以致夜深露重，水氣沾濕了鬢髮，手臂也被冷冷的月光映寒了。他也想念一雙兒女，卻反寫兒女童稚，尚不識思父之情。

「我的白天，是思念你的夜晚；當夜幕低垂，人間的燈火一盞一盞地點燃，而我的夜晚，則是對你無限的思念。」杜甫對月傾訴著，自己對妻子的相思之情。

那一夜，風霜滿面的杜工部，切切地想像著什麼時候可以回家，和親愛的妻子一起倚著薄薄的窗幔，一起看月，一起相擁痛哭，一起讓月光吻乾他們臉上的淚痕……。

這是「詩聖」在飽嚐相思之苦後的一種期待，一種憧憬，一種嘆息，也是一種無奈。縱使能劫後重逢，夫妻再見，應也是……淚眼相看吧！

那一夜，悵然望月的杜甫，想念家小，想念妻子，他想啊想啊，想得淚流滿面，
想得淚流不能乾，想得整顆心都……疼……了。

刊登於〈中華日報「中華副刊」〉

沒有女性，
就沒有愛情。
沒有母親，
就沒有詩人和英雄。
——俄國　高爾基

一世夫妻

他是個風流倜儻又能言善道的男人，圍繞在這樣男人身邊的紅粉知己當然不少。妙的是，一直以來，他都靠著「不主動、不拒絕、不負責」的三不原則，如翻江龍般，春風得意地，遊走馳騁情場多年。怪的是，有不少女人偏偏就吃他這一套。只苦了背後的她，一直以來，必須以「不爭、不吵、不過問」來過日子，把全部的感情感覺和精神，都投注在孩子和自己的工作上。

在他得了重病，即將去世前，想起自己荒唐的過往，以及那些已成過往雲煙的眾多紅粉知己，他終於體會到她長久以來困境中的心情。他向她懺悔，希望來生能再和她結緣，再擁有她的美麗、溫柔、善良與賢淑。

她聽完他的懺悔，內心一陣悸動，淒然一笑，靜定地拒絕了他的要求：

「親愛的，我們夫妻的緣份，就到這輩子好了。下輩子我寧願做你的朋友，也不要再做你的妻子了。」

刊登於〈青年日報「青年副刊」〉

沒有真正的平等，
就沒有真正的愛情。
——俄國　屠格涅夫

落跑新娘

她像被宛如巨獸般的婚姻嚇壞了，認為自己正要一步步掉入噬人的羅網中。於是披著白紗禮服的她，一次又一次地，從教堂內瘋狂地奔出來，向一個不可知的未來奔出去，留下背後無數驚訝不已的目光。

「她有什麼嚴重的心理問題嗎？」他很好奇。

因為愛她，也為了要幫她脫困，他化身為王子，進入她不為人知的內心叢林裡。

他終於看到了問題的癥結所在：早年即失去母親的她，一肩負起照顧家庭的重擔；重重的責任與顧慮，以及再再必須配合別人的需求，早已成了她的習慣。

類似的行為模式，也反映在她的愛情觀裡。在她歷任男友的心目中，她都是最棒的可人兒，因為在各方面她都能「投他們之所好」。

美麗的她、溫順的她、悲情的她，幾乎完全沒有一點個人的主張。慶幸的是，她在幾次婚禮即將完成之前，都能察覺到自己的問題，和內心世界真正的期盼，因而不斷地及時落跑，避免掉入一次次註定失敗的婚姻裡。他引導惶惶不安，卻依然對愛情充滿憧憬和期待的她，逐漸展開並擁有自己真正的主張。

他們的愛情終於帶給她美麗的救贖，將原本狼狽不堪的故事，改寫成一則充滿啟發性的愛情神話。

〈欣賞「落跑新娘」一片有感〉

刊登於《大同月刊》四月號

愛在真正的意義上，

絕非是以某種目標為目的。

——日本　今道友信

愛與被愛

郎才女貌的男女新聞主播分手了。

是男主播主動要求分手的。他表示，這個長達七、八年的戀愛，已經把自己壓垮了。

許多人都為女主播抱不平，認為她被甩了。

「不！」女主播靜定地說：「我不怪他。」

「我真得一點也不怪他。」她說：「因為一直到他向我提出分手前，我都不知道應該如何表達我對他的愛。」

她說：「我其實是被他寵壞了！我經常對他耍性子、鬧脾氣。我只是一味地單向接受他對我的愛，卻不懂得相對付出。而他卻要在婚姻、事業、家庭和責任間，承受一再的壓力。最後發現自己必須獨自背負責任時，才離開我的。」

女主播輕輕地拭去眼淚，徐徐露出一絲笑紋。「這樁愛情是我自己搞砸的！我不但不能怪他，我還要感謝他呢。」

「感謝他什麼？」有人問道。

「我要感謝他，讓我有機會從失戀中成長，有機會懂得去珍惜與付出。只有這樣，以後的我才有資格去談真正的戀愛。」

是的，愛的內容必須含有「愛與被愛」的要素。唯有如此，愛的過程才能真正達到完整。

誰也不知道已經分手的他們未來會如何？

說不定他們會成為比情侶還要好的朋友呢？

說不定他們能再續前緣，攜手步入禮堂，達到故事的另一個高潮呢？

刊登於〈青年日報「青年副刊」〉

那種放縱無度的愛不是我所希求的，
它不過像是起著泡沫的酒，
頃刻之間就會從杯中溢出，
最終徒然流失。

——印度 泰戈爾

愛的精靈

她和他住在一起。

她是個活得很認份的女人，幾乎不追求什麼浮濫的東西。一點點高興的事，就能引得她咯咯咯地笑個不停。

他覺得自己和她不太一樣。至於哪裡不一樣，他又不太能確定。不過，他確定是自己先提出不願意結婚的，她看了他一眼，笑了笑，馬上就同意了。

因為不必有婚姻的約束，除了她，他同時又交了好幾個女朋友。

天底下就有這麼巧的事！夜路走多了，不一定遇到鬼，但是遇到自己人，或被自己人遇到，有時候比遇到鬼還要尷尬。

他和一個叫香草的女孩，在午夜的巷子裡散步、擁吻，被半夜跑到巷口超商買醬油的她看到了。三個人六雙眼睛，怔怔地相對著，默默無語。

那以後，她和他還是住在一起。

她還是一樣恬然地過著日子，好像沒發生過什麼事。他反而有點受傷的感覺，因為她沒有對他興師問罪。

後來他又和一個叫奶精的女孩，去看午夜場的電影，整個戲院裡只有三個人。他們在黑暗中勾著脖子，嘖嘖嘖地親著嘴，電影演些什麼，根本不想知道。看完電影，燈光一亮，那位第三者轉過頭，他萬萬想不到竟然是她。她向他揮揮手，一溜煙走了。

人贓俱獲，罪證確鑿，想賴都無從賴起。

那以後，她和他還是住在一起。

他感覺自己的傷口又大了一些，她怎麼能夠這樣，這樣平靜？

他撫著胸口，去敲浴室。他要問在浴室裡面的她：

「妳怎麼還能夠這樣……？這樣不在乎？在我做了這些事以後。」

他敲呀敲呀，急急地敲，狠狠地敲。拼命地敲……。敲得全身是汗，敲得滿臉淚水，敲得胸口發疼……。

門慢慢地打開了。全身赤裸的她，一臉驚訝地站在門口。他抱著她，放聲大哭。

她抓過他的手，輕輕地放在自己的胸口，告訴他：「這裡，好痛。」

他抱著她，邊哭邊點頭：「我知道……我知道。」

「你怎麼知道？」她為他拭去淚水，笑瞇瞇地問道。

「因為我在那裡面。」他緊緊地抱著她，哭得更大聲了。

刊登於〈青年日報「青年副刊」〉

不要放縱你的愛情，

不要讓欲望的利箭把你射中。

——英國　莎士比亞

錯失良緣

那是個非常不景氣的年代，許多事業紛紛倒閉，許多人找不到工作。

一位小伙子來到俄亥俄州的一家農場打零工。他生活簡樸、工作勤奮，不計較農場主人提供給他的膳宿，是多麼菲薄簡陋。清秀的臉上不時露出燦爛的笑容，全身上下散發著蓬勃的朝氣。

不但農場主人夫婦喜歡他，就連他們那位荳蔻年華的女兒也愛上了他。

戀愛中的情侶，自然希望能更進一步結為夫妻。但是他萬萬沒有想到，他的求婚竟被主人夫婦潑了一盆冷水。

他們委婉卻堅定地告訴他：「我們雖然很喜歡你，可是我們唯一的女兒不能嫁給你，因為……

「因為你實在太窮了！又沒有什麼特殊的才能。除了身體好、肯幹活，我們實在看不出來你未來會有多大的前途。我們怎麼能將寶貝女兒的一生，交付給你呢……？」

他從主人夫婦欲言又止的眼神裡，聽到他們沒有說出來的話。

小伙子一氣之下，離開了農場，也離開了差一點做他妻子的女孩。

三十五年之後，農場主人因為要重建穀倉，在拆除已然頹圮不堪的草棚時，無意間發現草棚頂上的一根支柱上，刻了三行字——

敬邀月光和星輝為媒，
詹姆斯．迦斐爾德和瑪麗二人，
今夜在此情定！

詹姆斯迦斐爾德是這位小伙子的名字。

現在，他已經是美國第二十任總統了！

刊登於〈台灣日報「台灣副刊」〉

標了價的愛情是虛假的，
因為真正的愛情乃是無價的。
——佚名

故事重整

那天晚上，他自稱喝了很多酒，在迷迷糊糊中做了一件憾事。那件事把他和她的夢想都撕碎了。

兩個月後，他把她約出來，氣急敗壞地告訴她：「另外一個她，已經懷了我的孩子。她想要留下這個孩子，而且要他馬上和她結婚。」

聽完他的話，她覺得整個人輕得快要飛起來了。

這麼多年來的海誓山盟，在剎那間崩塌粉碎。在眼淚即將奪眶而出之前，她先聽到自己心碎的聲音。

分手原來是這樣的簡單。和電影裡那種執手相看淚眼，或一步一回頭的淒美畫面完全不一樣。

她靜定地告訴他：「親愛的，你會後悔的！」

多年後，恢復單身的他，找上依然亮麗迷人，已擁有成功的事業，而且越來越成熟、自信的她。

他熱情地告訴她：「我發誓，這一次我一定會好好地珍惜妳，再也不會辜負妳了。」

這一回，她依然靜定地說：「親愛的，生命裡有一些東西錯過了，就是永遠錯過了！不是每一個遺憾都可以補救的，尤其是女人的心。這幾年來，我一直努力地重整我的故事，只是故事的續篇裡，已經確定沒有你的名字了。」

要建立起了解自己，
也了解別人的愛，
才不會是盲目的愛。

——中國 傅雷

雷恩的女兒

美麗的她，內心有處早已被愛情遺忘的角落，而他驀地的出現，卻使這處角落再度發光。

他向她頷首點頭，喃喃地向她訴說自己的思慕之情。她則像個小女孩一樣，規規矩矩、臉紅心跳地傻笑著，也喃喃地回應他。

她從來沒有這樣手足無措過，四肢百骸全都顛倒了。羞怯成了一股輕微的疼痛，不斷地拍擊著自己的身子，她不停地顫抖著。

從第一眼看到這位像白雪一樣，清俊文雅的軍官，她便生出一種從未有過的感覺：那感覺分秒都在煎熬著她的內心，既是甜蜜的，又是苦澀的；既是滑潤的，又是苛刻的；不時跳出來，對自己一再地挑剔著：她的笑、她的沉思、她看書吃東西時的模樣，她就寢時的姿勢……，她每一個動作和表情，都被自己重重地挑剔著，沒有一副模樣讓自己還過得去。

她從來不知道自己是如此的虛弱與無助。

她要問問她的上帝，問問她的牧師丈夫：

「愛一個人愛到這樣，是……多大的……罪？」

〈觀賞「雷恩的女兒」一片有感〉

刊登於〈青年日報「青年副刊」〉

我不想侍奉人，

我只想真正地去愛一個人。

——印度 首陀羅迦

最佳女主角

豔若桃李的她，冷若冰霜地說：

「我只愛演戲。是不會和男人談戀愛的。我才不要打著燈籠，到處去找我的冤親債主呢。無論是夫妻還是子女，在我看來，都是相欠債。」

不談戀愛，卻也不會演戲的她，就這樣成了縱橫影壇近二十年的「玉女天后」。一直到最後一部息影之作，她都是獨當一面的女主角。

多年之後，在光影流動的機場大廳裡，依然美麗動人的她，身旁伴著貴氣逼人的夫婿，和白嫩可愛的小孩，正怡然接受鎂光燈和眾人一貫的注目禮。

當星星一顆接著一顆，在夜空中焚燒的時候，她，依然是最出色的一顆星星。

容貌的美麗，
可能是愛情的一個因素；
但是心靈與思想的美麗，
才是崇高愛情的牢固基礎。

——俄國　屠格契夫

刊登於《大同月刊》四月號

與愛神有約

「X情人」電影中的那位天使，他原先的任務只是將某一個人的生命帶離人間，並切斷這個人與人間的一切聯繫……，然而這個單純到不行的任務，竟因為天使心中日益洶湧澎湃的「愛戀」，而變成他最難以完成的任務。

他看到自己所愛戀的女人，因為無法挽救病人的生命，而深深自責痛苦時，他變得越來越不能自已，漸漸地失去了身為一位天使，所應該具備的置身事外的超然和中立。

當他以最大的勇氣，向她傾吐心中的愛意後，第一次的親密接觸，竟使他赫然發現：我，一個天使，和植物人又有什麼不同？

真的，一旦缺乏了任何感官的能力，對親吻、愛撫、快樂、興奮、痛苦……都毫無感覺的時候，天使和植物人又有什麼不同呢？

為了擁有愛的能力，天使毅然決然地從摩天大樓的頂樓，往下直直墜入充滿悲歡離合、喜怒愛憎的人間。

在急速墜落的過程中，天使喃喃地自語著：

「一切只為了愛！」

刊登於〈青年日報「青年副刊」〉

不要因為峭壁的高聳，
讓你的愛情，
也因此高高地懸掛在峭壁上。

——印度　泰戈爾

金色相思雨

關於相思樹，肯定有一個，或者不止一個，美麗得令人神往的故事。

我認識她，要從這一個故事說起。

之前都只是聽說，聽說有一種樹，在多情的地方長了許多，每一棵樹的枝椏上，都掛著一串串相思的甜美和苦澀。

僅僅只是聽說了她的名字，心裡頭已充滿了濃濃的感受。

那年春天，我看到她開著黃色的小花，一朵朵小黃花綴在長長的花鞭上，隨風嫁風，金雪似地漫天飛舞。

小黃花喜歡在軟綿綿的春雨中默默地開，金粉一般，金絮一般，金色的淚珠一般，每每一場雨後，遍地一片相思淚。

春天的傍晚，我常常看到一隻白鳥，在灰濛濛的天空飛過，顯得格外的孤單，也格外的美麗。

春天的深夜，我常常看到她的枝葉間，浮動著琉璃一樣的月光，許多的快樂、悲傷、憂鬱……，就在月光裡游動著。

生命之所以值得留戀，就是因為有情吧。

所以，僅僅一個春天的相思，已然足夠回味了。

從那年的春天開始，我忽然覺得許多相思的人兒，像極了一棵棵開滿了黃色小花的嬝嬝娜娜的相思樹。

戀愛的體驗，
乃是人類天賦中，
最大的幸福之一。
——希臘　蘇格拉底

他人的故事

所有的故事都有個特點：它們在最關鍵處，都存在著不可預料的空白……。

這些凹陷處一再地告訴世人：命運的進行是超乎想像的，它總是要滑開，逃離任何想要去捉住它的嘗試。

無論結局如何，都會使我們感受到，有股力量就藏身在一個又一個拐彎處，揮之不去。

愛情的故事便是如此。

因為它總是充滿了一連串的嘲弄、玩笑與惡作劇……。

不經意間翻開一本頗為暢銷的愛情小說，只因為書裡熟悉的故事，觸動了往日的某一段情節，貯存在眼睛裡的淚，竟不受控制地流下來，不知不覺間漫漶成一座海。在海浪洶湧翻騰時，看到每一朵浪花上，都寫著一個人的名字。

就在另一段情節的浪花，躍過跳動的字粒，大聲如雷霆，即將向我激射而來前，我碰然一聲，將書闔上。

吞天沃日的浪花，瞬間成為落在心底的小雨。

拭去眼淚，我輕輕地告訴自己：

「我再也不要在他人的故事裡，怯懦地流著自己的眼淚了！」

刊登於〈青年日報「青年副刊」〉

愛情有成千上萬個面向，
其中的每一個面向，
都有自己的光輝，
自己的悲哀，
自己的幸福，
和自己的芳香。

——俄國　保斯托夫斯基

煮石療心病

一對恩愛的夫妻，為了一件小事，竟吵了起來。

他仗著嗓門大，對她又吼又叫著；她覺得十分委屈，氣得說不出話來，只是一逕悶著頭哭。之後她越來越憔悴，終於病了。

他十分後悔，一直向她賠不是。她臉色煞白，一直在掉眼淚，不理他。

他硬拉著她，跑了好幾家醫院，醫生向神情木然的她問不出個所以然。開出的藥她也吃了一些，兀自沒有什麼起色。

眼看著她的身體日益消瘦羸弱，他越來越著急。

他終於找到一位很有名的醫生。她卻採取「不合作主義」，表示不想去了。

醫生向獨自前來的他，問過她的病情緣由之後，就隨手在桌上取了一塊石頭，說道：「你先把它拿回去，放在鍋子裡，加水，用文火煮軟，作為藥引。煮時不能乾鍋，要不斷地加水，直到煮軟之後，再來找我取藥。記得煮時火千萬不能熄，人也不能離開。」

他遵照醫生的囑咐，不斷地加水，目不交睫，夜不成眠，一連煮了幾天幾夜，眼睛煞紅，人也瘦了一圈，但是石頭堅硬如故。

她撐著虛弱的身子，走到他身邊，要他去問問那位醫生，何以石頭老是煮不軟。

他見了醫生，還沒開口，醫生先問他：「石頭煮軟了嗎？」

他搖頭，著急地說：「沒有！我太太正在家裡守著煮石。她要我來請教您，為什麼石頭老是煮不軟呢？」

醫生大笑起來，說道：「你趕快回去吧。你太太眼下的『病』應該好了！石頭雖然煮不軟，但是你對她的愛和至誠，已經把她的心軟化了。」

刊登於〈中央日報「中央副刊」〉

美滿的婚姻，
不能光靠心靈的一團愛火，
還得加上大腦對愛的冷靜思考，
才能年深日久地綿延下來。

——日本　國分康孝

紅豆寄相思

你，曾經擁有過幾顆紅豆呢？

那種微圓的、中間有一個小圓圈、全身透著明燦的豔紅，她還有一個名字——相思豆。

即使漸漸失卻了明亮的顏色，包含在紅豆裡面的甜蜜和滄桑，依然會觸動曾經歷過相思煎熬的情人，再一次情思洶湧，低迴不已吧？

相思，從來就是婉轉曲折、起伏纏綿的；可以令人悵然，令人驚喜，令人茶不飲、飯不思，令人一想到他（她）時，整個人都柔軟了起來。

這樣的思念和期待，到了詩人劉大白心裡，就化成了這樣的情境：

是誰把心裡的相思，
種成紅豆？
待我來踐豆成塵，
看還有相思沒有？

不妨拿這樣的相思，和另一首〈相思子〉併著欣賞回味：

歲朝出，一封信，珍重緘將兩粒珠，嘉名紅豆乎。
樹全枯，卻重蘇，生怕相思種子無，天教留半株。
望江南，樹凋殘，莫非尋常老樹看，相思憑此傳。
體微圓，色微殷，星影霞光耀滿天，離離紅可憐。
豆一雙，人一雙，紅豆雙雙貯錦囊，故人天一方。
似心房，當心房，偎著心房密密藏，莫教離恨天。

你會發現，兩種相思，卻是今古皆然：一樣的浪漫與堅持！
你，有多久沒去採擷紅豆啦？

歲月摧毀不了愛情，
但薄情寡義卻會使愛的花朵失色。
它在幻想的綠蔭中怒放，
有時會突然凋謝，
使你猝不及防。

——英國 雪萊

愛神的廚房

曾經聽過這樣一句話：「愛是內在的激情，食物是外在的激情；掌握愛情是一種藝術，掌握食物卻是一種科學。」

這句話乍聽有些玄，卻點出了食物和愛情之間，可以互動，也可以互補的微妙關係。

我們不妨想像一下，在餐桌前進食的一對對戀人，或細嚼慢嚥，或據案大啖的畫面吧。

第一道上桌的是開胃菜，清新爽口，有些像戀人輕輕地呢喃，彷彿一陣陣柔軟的和風，在戀人的心坎裡，輕輕地吹拂、爬梳著。

接著上桌的是熱湯，無論是清香的蔬菜湯、香濃的牛尾湯，還是可口的海鮮湯，都像是戀人的親吻，為彼此越發親密的關係，添加了不少迷人的效果。

再接著上桌的是前菜，愈益芳香馥郁，為親吻之後的戀人，投入了更多的歡情漫佈：他們一葉接著一葉地吸吮，一片接著一片地繾綣，一口接著一口地纏綿……。

不待主菜上桌，這一對戀人已然進入熱烈擁抱的激情狀態。

環繞著餐桌的燭光溫暖極了，他們在溫暖的燭光裡，用眼睛喝湯，用耳朵咀嚼食物，用嘴唇聆聽對方說話。溫暖的燭光裡，隱隱飄散著玫瑰的芳香。

而最後的甜點，無論是草莓布丁、藍莓香頌，還是……，都讓兩情相悅的戀人嘖嘖讚嘆，留下最甜蜜難忘的驚嘆號。

從廚房到餐桌，從愛情到激情，這一路的變化，我們絕對不能忘了那雙奇妙的手，那雙手藉著一道道食物，將愛情的元素巧妙地發酵、催化、加溫，並一一送入戀人的心脾和五臟六腑裡。

那雙手就是愛！

這樣說吧，經由「愛神的廚房」，再平常普通不過的食物，都可能變成滋味無窮的佳餚。

坐在溫暖的餐桌前，許多戀人寧願把自己回歸成一位單純的孩子，於是，和愛情有關的，某些在變動和不變動之間的騷動和不確定性，都一一地沉澱了。

刊登於〈青年日報「青年副刊」〉

如果不曾體驗過，
愛情對人的一切力量，
具有怎樣的激發能力，
他就不能體會出真正的愛情。

——俄國　車爾尼雪夫斯基

最動人的演出

只要你是影迷，對伊麗莎白泰勒這個名字，應該不會陌生吧？她美麗的容貌曾得到全球影迷的喜愛，許多人都以「玉女」、「玉婆」暱稱她。

在好萊塢電影王朝享盡美麗光環的她，在情場上也一樣呼風喚雨。許多男人拜倒在她的石榴裙下，不多久，又無一倖免地，遭到她拂袖而去的難堪與痛擊，影迷也為此漸漸對她反感。然而他們的道德譴責，對玩弄感情於指掌中的她而言，幾乎沒有起什麼制約的作用。

美麗的她恣意揮霍愛情，一生經歷了八次婚姻。

只是男人可以揮之即來，酒精如藥物卻不能揮之即去，就這樣，有很長的一段時間，美麗的她竟陷入深不見底的深淵中，日夜為酒癮、病痛、嗑藥和起起伏伏暴落暴起不已的體重所苦。

生命極端揮霍的結果，竟是美人遲暮、繁華如夢、斯人獨憔悴……，如何不令人唏噓歎息！

令人慶幸的是，歷經滄桑後的美人，終於有所覺悟。

她並沒有鬱鬱終老，反而撐起病體，奮力投身公益事業。她出錢出力，足跡幾乎遍及世界。她誓言終其餘生，要為防治愛滋努力，直到找到愛滋的解藥為止。

較諸她任何一次情愛的追逐遊戲，在她高潮迭起、令人瞠目結舌的一生中，她對愛滋病人發自內心的同情和理解，應該是她此生最反高潮的結局，也是她最真實，最動人的一次演出吧！

來自內心深處的美，
才是維繫愛情最可靠的紐帶。
——佚名

在雲端上漫步

沒有一對戀人不希望在談完一場戀愛之後，能共偕良緣的；雖然愛情裡的悲歡離合，讓他們動心又痛心。

在愛的進行式中，有一個極大的悲哀，那就是——無論情意再深刻，有時候卻不敵對浪漫的憧憬和想望。

那種浪漫的趣味，恰恰滿足了戀人在卿卿我我、你儂我儂之後，還少了那麼一點點的空洞。

「他簡直是個呆頭鵝……。」「他真是不夠浪漫到了極點……。」這樣的不滿和怨言，難免為愛情製造了某種程度的危機。

不妨想像一下，你那位無厘頭的她，或是非常不夠浪漫的他，很可能是誤觸了時光隧道的按鈕，從另外一個時空中來的生物。在這樣南轅北轍，各據一方的環境下，難怪他會如此無厘頭，難怪他會如此像個呆頭鵝，難怪她（他）的某些想法和生活方式，會和二十一世紀的你不太一樣，這樣時空迴異的「異戀」，夠浪漫夠另類了吧？

電影「穿越時空愛上你」中，述說的就是一個穿越時空的愛情故事——古早紳士下凡來，現代淑女撩落去，為許多默契不足的情侶，帶來了許多的靈感和想像。

這種橫越幾百年的邂逅，靠著男女雙方的真情，最終還是跨越了時空的鴻溝，彌平了愛情中，最求之不可得的潛在焦慮。

戀愛就是這麼深奧又簡單的命題，一旦出現了某些疲乏或焦慮時，偶而天外飛來一筆靈感，把你的她（他），想像成是被關在城堡中的，楚楚可憐的公主，或是騎著驢子，一路蹬蹬蹬大戰魔鬼風車的唐吉訶德。

我們是穿越時空的一對另類戀人，我有時會回到過去，你有時也會飛越未來的宿命，怎麼也阻止不了我倆的相愛不渝。

戀人間有了這樣的認知，差異或分別頓時消失，這一場戀愛接下來的情節，頓時又會趣味生動、豐富活絡了起來。

所以說，愛情世界中真正的魅力指標，就是偶而又偶而地浪漫一下。偶而又偶而浪漫一下，讓愛的情緒一路走來有趣又活潑，金鋼郎也會化成繞指柔，新鮮又可口。

生活就是花朵，
愛情卻是花中的蜜。
——法國 雨果

走出傷心小站

近幾年來發生的諸多和感情有關的報導，往往都是以令人不勝唏噓的下場終結。如果，所有的愛情到最後都會走到這樣的結局，那麼，我們還要愛情做什麼？

你一定還記得，一段轟動全國的三角戀情，把其中三個聰明優秀、前途看好的年輕人，全都玉石俱焚地給毀了的報導。

受了這樣的高等教育，一度還是閨中密友的兩個女孩，為了一個玩火的男人，一言不合之下，竟然大打出手，不只動手，一方還實際運用了自己的專業知識，學以致用到以王水將好友毀容、毀屍。這樣冷靜、冷酷、冷血的犯案手法，即使是擅於佈局、心思縝密的偵探小說作家，也會咋舌不已吧？

自古以來，女人的感情世界一旦遭到侵犯，她通常對自己的男人是莫可奈何的，可是對介入者，卻充滿了萬分的敵意，甚至絕不善罷甘休。

就像希臘神話中，那位母儀神界的天后希拉，不去找她的老公宙斯興師問罪，卻一而再、再而三地去刁難、懲罰她老公的眾多情婦。

這是不是意味著，女性還是深陷在某種角度的盲點中，找錯對象、也尋錯了仇，根本沒有循著關鍵人物去解決關鍵問題呢？

上述那樁釀成滔天大禍的三角戀情就是如此。

美芬的帥哥丈夫婚後桃色事件一再頻傳，令美芬苦不堪言、痛不欲生，生活中充滿了磨人的眼淚和怨恨。面對美芬的哭泣和詰問，作丈夫的卻始終以「欲加之罪」一再否認到底，甚至說美芬是得了某種幻想症。

有一陣子，美芬的心情跌落谷底，幾乎被「客觀的情緒」掌控著，輾轉、起伏、翻騰、煎熬，不能自已。

憂傷、焦灼、苦悶等情緒，在在焚燒著她的神經，也禁錮著她的靈魂。無論白天夜裡，她都耽溺在深深的沮喪和痛楚中，不願也不能醒來。

許多困惑在她心頭纏繞著：怎麼會這樣呢？

原以為成為某人的妻子後，接下來她會成為母親；再接下來她會擁有一個可以掌握的、理所當然的、幸福快樂的一生。

怎麼會這樣呢？

到底哪些承諾只可一笑置之？而哪些盟約卻必須固守三世呢？

她不確定。

可她卻牢牢確定一點，她的丈夫已經不再愛她了。或者，他從來也沒有愛過她。

這個事實雖然令人沮喪，可是她必須面對，面對愛情一向充滿了太多變數，因而成為生命中，一個永遠無法解釋的憂傷的事實。

怎麼會這樣呢？

她怎麼能將自己的喜、怒、哀、樂，自己的命運和未來，交給這麼一位不負責任、四處留情、視說謊為家常便飯，而且早早已經不再愛她的男人，來讓他為自己操盤呢？

怎麼會這樣呢？

她怔怔地問著鏡中的自己。

情愛滅絕的同時，卻也是另一個生命的復甦與重整之時。

哭過了一次又一次長夜後的美芬，心靈卻意外地逐漸澄澈起來。她抹掉眼淚，誠懇地對丈夫說：

「如果你和她們中的任何一個有真正的感情，請你放心地走吧！因為真正的感情超越一切！你不需要在一個已經不再愛戀的女人身上，浪費你的生命，也浪費對方的生命！」

她發覺，邁開腳步，走出自己的傷心小站，其實並沒有想像中的困難。

她甚至能夠捂住自己的傷口，向自己的丈夫展露微笑：

「關於你的不夠誠實，但的確已不再愛我的這個事實，我恕你無罪！」

失去丈夫誠然是一種錐心之痛，然而這種痛，卻不會因為加諸在另外一個女人身上，而稍解、痊癒。美芬如是想。

這是一個「大死」之後、又「大生」的女人，像水晶一樣澄澈的體會。

如是美芬停止了一場沒有意義的自我折磨，她溫柔地對待自己，也重新認識自己。

她覺得自己在顛簸了好長一段曲折晦澀的心路歷程後，終於可以抖落煙塵，終於可以化為眉目間的怡然喜悅。

她以這樣的態度和心情，走出了她的滄桑。

如是，她得到一個嶄新的境界和美麗的風景。

愛不是盈利性的投資，
怕苦的人，
就不要去愛。

——佚名

月亮代表我的心

政聲斐然的新加坡總統王鼎昌先生，在卸任前夕，邀請該國最著名的歌星，和他連袂在歡送會中共同演出。

他請女歌星在晚會中演唱的該首歌，是他要獻給結褵多年的愛妻林秀梅的。他希望女歌星在晚會前，不要向外界透露歌名，也不要透露他屆時要親自上台，擔任鋼琴伴奏的事。

女歌星答應了。

那天晚上，在悠揚美麗的琴聲中，許多人情不自禁地和台上的女歌星，哽咽地唱著「月亮代表我的心」。

你問我愛你有多深，
我愛你有幾分，
你去問一問，
你去想一想，
月亮代表我的心……。

每一位新加坡的老百姓都知道，這位總統之所以毅然淡出政壇，最主要的原因就是——他希望能有更多的時間，多陪陪自己已去日無多的妻子。

總統夫人終究敵不過病魔之手，晚會之後不久，總統夫人就去世了。

然而，所有曾經看過那次電視轉播的人都不會忘記，一位深情的丈夫是如何向他癌末的妻子做忘我的告白。而那一位臉色蒼白的美婦人，在自始至終的歌聲中，眼泛淚光、嘴角愉快微笑的一幕畫面。

刊登於〈青年日報「青年副刊」〉

要彼此真心相愛，
但不要絞成愛的鎖鏈。
——黎巴嫩 紀伯倫

白雪公主和王子

他和她，終於結婚了。

幾年後，每天的早餐桌上，他邊吃早餐，邊默默地看著蓬頭亂髮的她，頻頻催促著像麻雀一樣聒噪的孩子，要孩子和他快點把早餐吃完，快點出門……。

曾幾何時，他和她，都陷進了交纏糾結的網羅裡，不再作夢。

每晚，他默默地盯看著電視，然後到在肥皂劇前昏昏然睡著。

他夢見自己和她在愛神降臨之初，一幕幕花前月下甜蜜溫馨的畫面。再後來，他們遭遇了一些關口，但總能化險為夷，彷彿經歷的只是一場又一場奇妙的夢境。

月亮很白，即使被白色紗幔篩過，還是很白。月光輕輕地穿過窗櫺，輕輕地穿透窗格，有如一片溫暖的舊被子，將他輕輕地裹起來。

他在夢中迷了路，一整晚頻頻叫喚著他的白雪公主。
同一時間，在另一個房間裡的白雪公主，翻了一個身，又沉沉地睡著。

刊登於〈青年日報「青年副刊」〉

愛情是理想，
結婚是現實，
把理想與現實混為一談，
豈能不自食其痛苦之果？

——德國　歌德

永遠的星星王子

這是很多年前的事了，今天依然有許多人在談論它。

著名小提琴家鄧昌國先生已陷入彌留中，彼時彼刻，癌細胞已完全攻佔了他的身體的床榻前，他的前妻，著名鋼琴演奏家藤田梓女士，正含淚彈奏著他最喜愛的鋼琴曲「離別歌」。

在潺湲哀怨的琴聲中，他向她做了最後深情的一瞥，安祥地離開了人世。

年輕的時候，男的俊俏瀟洒，女的秀麗出塵，在音樂的舞台上，兩人曾經合作無間，忘情地演出過許多的作品。在人生的舞台上，兩人也曾經是珠聯璧合的神仙愛侶，贏得許多人的讚歎與祝福。

這樣美麗得像童話般的故事，竟然以黯然分手的缺憾收場。分手後，男的曾經再婚。女的則獨立自主地留在異國，撫育孩子成人。若干年後，他得了重病，她趕來悉心照顧，他續弦的妻子並無不悅之色。病房內，三個人相互憐惜的畫面，也贏得許多人的不忍與不捨……。

「無論他曾經如何對我，也無論時光過去多久，他永遠是我的星星王子。我還是永遠愛他！」依然丰姿綽約的她，平靜地說著。

幾十年的恩義情怨，經過時間的沉澱後，真正留在心底的深處，恐怕只剩下這句最簡單素樸的告白，和難以追回的美好回憶吧？

愛與諒解，將這齣原先的悲劇，輕輕淡化成令人低迴不已的，無奈卻也無怨的淒美的樂章。

縱使愛別離，但是琴還在，情還在，她所珍惜愛戀的夢裡的星光，也永遠恆在。

愛的最高形式，
乃是建立在彼此完全真誠的基礎之上。

——英國 哈代

千年巨蟒的眞情

清明煙雨的西湖邊，如果少了「白娘子借傘」的這一個畫面，飄灑著綿綿春雨的西湖，會減去多少美麗呢？

她一出場不過一個照面，不過在頸後輕輕地挽了一個小髻，不過是白絹衫細麻裙一身素，除了頭上斜斜地插上一支素釵，全身上下幾乎一無長物。

靈妙清雅、巧笑倩兮的她，與四月的西湖，渾然融合成一幅美麗的風景。

這幅風景攫住了未經世故的杭州帥哥許仙，那顆怦怦然躍動的心。

所以，絕對不要低估了素面淨妝的魅力，也不要低估了「非我族類」，比任何人都要來得濃郁質樸的愛情。

巨蟒出身的她，只不過來西湖一遊，卻偏遇上了一場春雨，意外地邂逅了她的千年冤家許仙。

那許仙無父、無母、無功名、無恆產，自幼至長，寄人籬下，只在親戚家裡的藥舖做夥計。

他什麼也沒有，除了她對他的愛情。

如果不是為了愛，在深山修行了近千年，即將修成正果的她，何必鋌而走險，在杭州的井裡遍灑瀉劑，僅僅為了成就夫婿新開藥舖能夠一鳴驚人的業績？

如果不是為了愛，大腹便便的她，何必將自己置於死地，拼死向仙童搶奪仙草，甚至不惜將之打傷，去救活那一息奄奄的丈夫？

如果不是為了愛，剛生下孩子的她，何必甘冒天條，水漫金山寺，一夜之間死傷無數，造就一場無可收拾的人間浩劫？

如果不是為了愛，即將修行有成的她，又何至於奔上這條萬死不辭的不歸路？

美麗纖弱的她，最終縮成了不到七、八公分的傀儡人樣，蜷伏在法海的缽盂內，一字一淚地向世人泣說著這一段孽緣。

雷峰塔已倒，為愛煎熬至終不悔的她，應已隨風返回深山，繼續她未竟的功課吧？

刊登於〈青年日報「青年副刊」〉

如果是真正的愛，

就無所謂高貴與卑下。

——英國　白朗寧夫人

天下第一癡情漢

「情人看刀」式的情殺事件層出不窮，三天兩頭就見諸報導。

闖禍後的情人或淚流滿面，或悻悻然地說：「我會這樣做，實在是因為我太愛她（他）了……。」

這樣「太愛別人」的愛，算是哪門子的愛？

我看，他們是「太愛自己」了吧！

因為「太愛自己，怕讓自己痛苦」，所以他們才去傷害別人，同時也傷害了自己。

看到這樣的愛，不禁讓我想起金庸筆下那位天下第一癡情漢——段譽。

誰都知道段譽愛慕王語嫣，而王語嫣卻苦戀著慕容復。關於這點，段譽非常清楚。

語嫣是他心目中的仙女，他是那麼愛她，但他不敢奢望她也會一樣的愛自己，為了不給她壓力，不讓她痛苦，於是他甘心願意將自己對她的愛，深深地藏在心底。

但是他實在是太愛她了！

他無法坐視她的痛苦、悲傷於不顧，所以，他甘心願意違背自己的意願，去娶那位他從未謀面的西夏公主。因為只有這樣，語嫣才能與幕容復結成姻緣。

這樣的愛，世間幾人能夠？

我想，哪怕要段譽去娶個醜八怪，他也會甘心願意、無怨無悔吧！只要王語嫣能和她心愛的人在一起，只要他心目中的仙女能夠更快樂一點。

這樣的愛，才叫做「愛別人」，而不是「愛自己」。

也只有這樣的愛，才能夠感動天地，得到愛神的加持和協助。

段譽終於以他的愛，打動了王語嫣的芳心。

誰說愛情是自私的。

正因為它充滿了犧牲和包容的精神，

才變得如此之聖潔崇高。

——佚名

像鹽一樣的美人

漂亮的美人不少，但是，美麗的女人卻不多。

怎麼說呢？

有的女人真得很漂亮，但是和她相處一段時間後，就會發現，她不過是個繡花枕頭，只有漂亮的外表，卻沒有美麗的內在。

另外有一種女人，貌不驚人，長得並不出色；但是一旦和她相處，卻會讓人從她的言行舉止中，發現她那豐富的內在，和靈秀的氣質。

這種女人就像是一泓清泉，在平淡中，自有一種甘甜和芬芳。

年華會消逝，青春會過去，漂亮的容貌會褪色；但是，美麗的內在卻可以歷久彌新，使一個女人越來越有味道，越來越美麗。

所以，高雅溫文的儀態，誠懇樸實的態度，對於一個女人，就像鹽之於烹飪那樣重要。

乍看並不起眼，可是卻少不了它。

好女人和好看的女人是兩回事。

記住了這一點，

也許你就不至於過分地挑剔對方的膚色、臉蛋和線條了。

——佚名

在下一個轉彎口

地難填，天難補，造化如斯。
釋盡了，胸中愁，欣欣微笑。
江自流，雲自卷，我又何疑。

這是清人孔尚任在「桃花扇」中，「餘韻」這齣戲裡的一段曲子。女媧煉石補天，既然有情的天地都有缺憾，難得圓滿，何況是變化多端，充滿最多變數的紅塵情事呢？

你可曾經歷過，莫名奇妙地被情人甩掉的噩夢嗎？當你脆弱得像一張紙，需要一點點支持、撫慰的時候，卻往往找不到可以跟你一起承擔的人。

那時候的你，會不會覺得很沮喪、很傷心，很難以排遣呢？

好端端的一池春水，一旦出現這樣的「石子」，你會用什麼方法，去解開這樣的難題呢？

去大吃大喝一頓……

去逛街血拼一番……

去嚎啕大哭一場……

去狠狠的運動……

去搥胸頓足……

去……死……

這些都不是療傷止痛的好方法。

撫慰的力量不必千言萬語。許多時候，一本小小的書，幾句觸動人心的寥寥數語就夠了。

就在一瞥一覽的瞬間，你滿腹的愁腸已化為兩行熱淚，你的傷口已一點一點地癒合。從書頁裡躍入眼簾心底的動人字句，正在殷殷地撫慰、祝福你：

「在下一個轉彎口，你一定會遇上一個更可愛的人兒！」

愛情是一本永恆的書，
有人只是信手拈來，
瀏覽過幾個片段；
有人卻流連忘返，
為它灑下斑斑熱淚。

——俄國　施企巴喬夫

讀你千遍也不厭倦

情書，是情人之間愛的信物。

當時欣喜愉快、臉紅心跳的情景，依稀仍在記憶中躍動飛翔嗎？

詩人劉大白在將近百年前，就以一首詩，細膩生動地描寫了相愛的情人，在收到對方情書時的那一份悸動和心情。

（一）

我不是不能用指頭兒撕，
我不是不能用剪刀兒刺，
只是緩緩地，

輕輕地，
很仔細地挑開了紫色的信唇；
我知道這信唇裡面，
藏著她秘密的一吻。

（二）

從她底很鄭重的摺疊裡，
我把那粉紅色的信箋，
很鄭重地展開了；
我把她很鄭重地寫的，
一字字一行行，
一行行一字字地，
很鄭重地讀了。

（三）

我不是愛那一角模糊的郵印，
我不是愛那滿幅精緻的花紋，
只是緩緩地，
輕輕地，
很仔細地揭起那綠色的郵花；
我知道這郵花背後，
藏著她秘密的一吻。

拆信、展讀、細揭郵花……，這樣甜蜜的、美麗的、雀躍的心情，這樣虔誠的、執著的、珍惜的動作，這樣柔美婉約的相思之情，在一個又一個一百年後，相信依然會令我們悠然神往、不能自已吧！

一個人如果沒有體驗過深沉的愛情，
就不能說他是完全幸福的。
——保加利亞　瓦西列夫

愛情哪有什麼公式

許是受了傳統觀念，或是愛情電影的影響，有越來越多人把愛情「定型化」了。且舉幾個例子。

其一：一男一女邂逅時，如果互有好感，一定得有似曾相識之感。也就是他和她的身上要瀰漫著一種氣味，那種氣味像久遠的記憶驀地出現，因為事出突然，竟然有些錯愕不安。於是其中一個就要走過去問：「我們是不是認識呢？因為我好像在哪裡見過你（妳）？」

其二：有工作狂的他（她），會為了對方，不惜把工作放到一邊，把朋友放到一邊，把天大地大的事情放到一邊，只為了奔赴他（她）的懷抱。

其三：相愛的他和她，總是會一起去做許多事情，像是看電影、出外郊遊、聽音樂會、看表演，或參加聚會……等。

其四：從來不下廚的他（她），會為了對方，竟然洗手作羹湯了。

其五……。

許多人不知不覺地把這些「定型化」的愛情公式，也拿來檢驗自己的愛情。

於是，他（她）沒有為我放棄和朋友聚會，沒有為我把工作放到一邊，不肯陪我看電影，不肯為我下廚作飯……，就是因為他(她)不夠愛我。

實際上是這樣的嗎？

如果上述的這些那些事情，他（她）一一都做了，就代表愛了嗎？

真實的狀況是，就算他(她)不想做飯，不想洗碗，不想一起去參加朋友的聚會，不想一起去聽音樂會，甚至於「這一次我不想和你親熱」、「不想和你做愛」……，都不一定是因為「我不愛你了」。

有時候理由可能只是「太累了」，或「心情不太好」，跟「愛不愛」根本扯不上關係。

愛情真要保溫、保固也要保鮮的話，就不應該設定什麼公式。

能夠相愛是難得的緣份，但是，即使是兩個再相愛的人，還是兩個獨立的個體，不應該用愛情來限制任何一方的自主性，更不能用對方做什麼事情，或做什麼決定，都拿來做為他（她）是不是愛我的認定。

這樣的愛才會更廣闊，更長久，更經得起考驗。

愛情原本是非常美好的東西，
卻往往因為我們對它提出非常過分的要求，
而被破壞了。

——法國　莫泊桑

閨房情趣的女主人

沈三白和陳芸娘既是柴米夫妻，也是神仙眷侶。究竟是怎樣的一種情緣，讓他們的婚姻生活能如此相契相合、情意相得，令人欣羨呢？

真虧了芸娘這位可人兒。

在《浮生六記》裡，我們都看到芸娘愛真、愛美的情性，在種種困厄中，善於化腐朽為神奇的心意；正因為這樣的至情至性，使得芸娘能將生活中的點點滴滴，變化得情意盎然，顯得既有趣味又有韻味。

難怪幽默大師林語堂先生曾說：「芸娘，是中國文學中最可愛的女子！」

在三不五時處處怨偶的今天，想起曾經有過這麼一對患難夫妻，把原本最素樸簡單不過的生活，經營得那麼詩意，那麼有趣，那麼美好，那麼豐富，任誰都會有一些感悟吧！

刊登於〈青年日報「青年副刊」〉

真正的愛情，
不應該是肉體的互相佔有，
應該是兩顆心靈的互相滲透、滋養。
——佚名

我喜歡愛一個人的感覺

愛一個人，並不是要苦苦地執著，並將對方據為己有。

挺年輕的時候，我告訴自己：「我喜歡愛一個人的感覺！」因為那是至真、至美、至好、至潔的感情。

愛一個人，在每一回無心的相遇時，每每有春花初綻，乍見陌頭春意濃的喜悅之情；繼之在花事的興謝和浮雲的聚散中，仍不時濺起驚喜的淚和燦爛的笑。

凝視他(她)的笑容，凝視他(她)的動作……，如月色溶溶，如花香漫漫，如心底私藏的秘密，如每一首動人的歌聲中，恰恰吻合了心跳的節拍。

相逢自是有緣，一旦迸出美麗的火花，則是驚喜交迸、泉湧滿溢；如若沒有下文呢？啊，那豈不也印證了愛的深沉，如一口古井之說嗎！愛，是不必一定要有回應的。不如何，又如何呢？

如今，已不再是挺年輕的時候，我依然告訴自己：「我喜歡愛一個人的感覺！」因為愛一個人，真箇不是一人、一事、一時、一地之事。

時間固然無情，生命中許多驚喜、苦惱、瞋怨、淚水會一一流去，但在流衍奔馳之際，總會讓我們留下一些什麼，讓某種祕藏的感情，昇華為不滅的思念。

這是老天爺賜給我們的一個禮物：經過歲月之河的淘洗沉澱後，最終拾起的，盡是珍藏於心匣的美好情懷啊！

我喜歡愛一個人感覺，我喜歡我的生命之河中，有如此多「我喜歡」所一一交織的美麗的片段。

而這些美麗的片段，一一連綴了我完整的生命。

真正的友誼和愛情，
非但時間不能磨滅，
環境更不能改變。

——德國 席勒

母性是女人的緊箍咒嗎？

女人變成母親，
是一件輕而易舉的事；
但是，要做一位母親，
可就不這麼容易了。

一向反傳統的瑪丹娜，多年以前終於如願以償地做了母親。瑪丹娜這回乃是摹擬一個「男性」的地位，扮演的則是「去勢男子」的角色，把承擔播種的另一半——他的私人健身教練卡洛斯李昂，當成了「工具」來看待；然後透過自身的「女性軀體」，成功地孕育出了一個小生命。

瑪丹娜在影藝事業的成績有目共睹，她緊緊地摟著小女兒蘿狄絲，欣然地在電視上大談其「育兒經」的時候，應該沒有人會否定，她由內到外，十足流露出來的母性光輝吧？

說到母性，幾乎成了溫柔、賢慧、端莊、操持、忍耐、自我奉獻……的同義詞了。它一向被視為是女性的天賦，也是經常被拿來歌頌、讚美女性的形容詞。但是，從另一個角度來看，母性，是否也可能是母親要發展自我空間時，最大的一個障礙和限制呢？

電影「麥迪遜之橋」裡，由梅莉史翠普扮演的家庭主婦法蘭西斯卡曾經如是說：「當妳一旦成為母親，妳就已經停止成長了！妳隨時在那裡準備著，等待著妳的孩子們，來來去去地進出妳的生命。」

這句話真是十足道出了天下母親的無奈和感傷啊！

當老天爺賦予一個女人擁有孕育生命、享受創造生命之喜悅和滿足的同時；她做為一個母親的自我空間，是不是也開始逐漸在萎縮、消失了呢？

就像一粒種子在發芽後，它的種核很快就不見了一樣。

做為一個母親，她一方面是春暉普照的象徵，一方面卻也是面貌模糊的角色。做為一個母親，當她面對丈夫、孩子的需要時，她經常得有知有覺地扮演著「守護天使」的角色。

做為一個母親，她當然也有自我的一面，也有自己的喜、怒、哀、樂；但是，她所有的情緒都不能輕易流露，都要被收藏到內心深處的最底層。只有在獨自一個人的時候，才有機會把它們拿出來一一檢視。

母性，真正是天人合一，既神聖又偉大；卻也是非常的不人性。

怎麼說呢？

因為它太像是緊箍咒，把母親給緊緊地框住了！

在十幾或幾十年的婚姻生活裡，大部份的女人，都扮演著生兒育女的工具，或超工時的女傭；做丈夫的很少過問她在想什麼或要什麼，只是理所當然地為她安排、決定一切。

傳統社會對母親的角色有太多的要求，而做母親的也對這個角色如此要求，因此，當一位母親一旦做不到外間的要求時，她往往就會自責、沮喪、不安，懷著深深的罪惡感、甚至苦惱自己。

許多母親將所有的心血和精力，投注在丈夫和孩子身上，終於逐漸失去嫵媚的韻致、失去她原來的自我，成為一位憔悴不堪的女人，和形容枯槁的黃臉婆。

我曾經看過一種母親，看她們追逐滿地跑的孩子，苦苦地餵飯，孩子卻爬上爬下、撒嬌耍賴、極盡磨人之能事。可做母親的卻央著、求著孩子，一臉焦急，不敢發火。

我也看過一種母親，一大早忙著為全家人做早餐、為孩子料理出最新鮮可口的中餐餐盒、等到把丈夫和孩子一個個送出門，灰頭土臉的母親卻一口飯還沒吃呢。

這也是許多女性儘管已邁出了腳步，擁有可以自我發展的空間時，一旦碰到可能衝突到丈夫和孩子的現實利益時，會陷於兩難的情境；往往在經過一番掙扎之後，多半又回到「傳統價值」的原點來的原因了。

「麥迪遜之橋」裡的法蘭西斯卡，一度徬徨、游移在「母性」與「自我」間，一度幾乎要拋夫棄子，跟著所愛的人遠走天涯，邁向為自己展開的人生。最終還不是因於母性的羅網，又默默地回到固定的生活軌道，一直到老死。

女人啊女人，濾過怨尤、濾過惆悵，難道只是為了一生一世的母親這個角色嗎？

天下的母親，應該都是一樣的嗎？

怎樣的母親，算是「好」的母親？怎樣的母親，又算是「不好」的母親呢？

當人性的諸多面向，一再被挖掘、省思時，除了讓母親之為母親外，我們是不是也該去正視母親自我的一面呢？

許多母親終其一生所能唱的一首歌，真得只是傳統世俗認定的那首「美麗幸福的家庭」嗎？

她們是不是還可以唱出不一樣的歌曲呢？

寫到這裡，我不由得又想到瑪丹娜這樣的一位母親了。

——刊登於〈中國時報〉

愛，

是人世間最聖潔的和解。

——羅馬尼亞　阿列柯山德魯

不過是守著一些心愛而已

許多人喜歡林黛玉，喜歡她的靈秀清雅、多愁善感。也有許多人不喜歡她，不喜歡她的「多心」。

說林妹妹疑忌孤僻，動不動愛鑽牛角尖兒、鬧情緒的個性，就是「多心」，是不是有些兒錯怪她了呢？

林妹妹身世淒涼，自幼失恃，必須寄人籬下；賈府的人事偏又複雜無比，所以她只能一再地警惕自己：「縱有許多照應，自己無處都要留心。」所以她的疑忌疏冷，原是在極度缺乏安全感下，不得不戴上的一副面具，也就是我們常說的「自衛」呀！

還有，咱們國家「女子無才便是德」的傳統觀念，也使這位具有謝道醞一般文采情致的少女，只能風流自賞、陶然自醉於自己建構的文學世界裡，卻難容於封建的俗世酬應。

然而，以林妹妹對於真我的執拗，和完美的「愛情主義」的堅持，自然不屑向那翻雲覆雨、步步為營的客觀世界，做任何的諂媚逢迎，於是，林妹妹便被硬生生地冷落在她的「瀟湘館」裡了。

最最讓她傷感的，還是她和寶玉哥哥之間的愛情，一直沒有得到明確的保障。（薛）寶釵的金鎖，（史）湘雲的金麒麟，從來都是林妹妹心中的痛，令她「舉杯銷愁愁更愁」的沉重陰影啊！

現在，有一點兒了解了吧？

林妹妹之所以「多心」，「不過是守著一些心愛而已，心愛的人、心愛的詩、心愛的一份清靜與純潔……」；而林妹妹的「自衛」之姿，自始至終都是那麼彰彰顯明的「頑強屹立」，即使「逐漸失去賈府核心（賈母、王夫人、鳳姐……）的支持，「獨自走向苦恨離世的坎坷之旅」，林妹妹依然一逕不肯委屈自己，向現實俯首。

生命雖然充滿了許多無奈與虛妄，但是，愛情還是可以談得很有氣質、很有格調的，像林妹妹就是。

卷二　凝眸（散文篇）

絕　美

1

她是天生的美人胚子，生就一張堪稱絕世美人的，有如水晶般晶瑩剔透的臉蛋；不但五官姣好精緻，身材娉娉婷婷，更擁有一頭像緞子般，光滑亮麗的秀髮。總而言之，她從頭到腳，無一不是造物者精雕細琢的極品。

做丈夫的他，可不願意承認，當初只是因為她驚人的美貌，才娶了她的。

他至今仍清楚記得，那一天，他輕挽著一身白紗的她，緩緩走入賀客盈門的禮堂中。彼時彼刻，美麗的春陽，將他和她一圈圈地包覆著，掌聲讚嘆聲，聲聲不絕，周遭盡是金光耀眼的美麗光暈。「執子之手，與子偕老」，他當時深深地以為，他和她的幸福，確定可以超越海枯石爛，確定不是一幅最美麗動人的圖畫。

然而許多預料不到的事，其實早早在冥冥中已經註定了，他和她只是配合演出吧！

婚後她才發覺，她不但是一絲不苟的處女座，更是堅決捍衛完美主義的女戰士，經常捧著手裡的魔鏡，不停地頻頻自問著：「魔鏡，魔鏡，我是不是世界上最美麗的女人？」魔鏡中的美人，笑容燦爛地，頻頻對著女主人點頭

一旦發現臉上身上，有一絲一毫和自己的美感價值相牴觸的地方，她就一臉寒霜，氣急敗壞地嚷著，要去整容。

他先是試著安慰她：「妳已經夠美啦！放輕鬆一些，保持心情愉快，妳會更美麗。而她卻每每以尖銳的口氣回應：「真是奇怪耶？你難道不願意我比現在更美麗嗎？」

她就像染了毒癮似的，日復一日地耽溺在一種似乎永無止境的，追求美的手段和方法中。

於是她越來越美麗了，美得像清晨的露珠，晶瑩剔透。看到那種近乎白玉冰霜的

美麗，他總會禁不住聯想到「綺年玉貌」、「玉滅香消」、「玉碎珠沉」處處……之類的，美麗而短暫的形容詞。說也奇怪，自從有了這樣的想法，竟然讓他在大白天裡，經常萌生出一股寒意出來。

對美麗的她來說，美的追求就是一種意義，一種價值，一種真諦，一種鍥而不捨的目標。

但對枕邊人的他來說，除了美麗的本身，那些再去格外追求的價值和真諦，有什麼意義呢？

真正讓他覺得，她的絕世美貌，純屬造物者惡作劇的，是那一個該死的晚上。

2

那天半夜，他被一個極其恐怖到無可言喻的噩夢驚醒，全身淌著冷汗的他，想到浴室去沖個澡。做夢想不到，另一個活生生的噩夢，竟直逼眼前。他一推開門，竟赫然看到不著一絲寸縷的她，站在她執意要加裝的，比她整整高出一倍多的大鏡前。

玫瑰般的臉龐、天鵝般的頸項、凝脂般的肌膚、珊瑚般的曲線、乳房嬌美如春桃，小腹飽滿而堅實，胯下那一叢黑亮的水草，魅惑地輕輕拂動著……血脈賁張的他，忘我地凝視著，那尊可以和維納斯媲美的絕色。

維納斯美麗的臉龐，忽然無端地抽搐了起來，她先是喃喃自語著：「我怎麼這麼醜……？」然後對著鏡子越吼越大聲，邊罵邊拿起一旁的吹風機，用力向鏡面砸去。他正要出聲阻止，只聽到「碰——」的一聲，眼前的大片明鏡如雪花般散落一地，鏡中的維納斯，也狼狽地躲了起來。

赤裸的她，氣急敗壞地嘶叫著：「我……好難看！我……好難看！」她用力扭動著身體，堅決地抗拒著丈夫的安慰和擁抱。

只不過鬢角添了幾根灰髮……而已，在他看來，還意外地增添了她幾分熟齡的風情呢！沒想到她的反應竟如此強烈到近乎瘋狂，硬是把美麗的身形，扭曲得像冬夜裡的一枚弦月。

他怔怔地看著哭成梨花一枝春帶雨的她，怔怔地想著，她縱然擁有絕世的美貌，斯時斯刻，那美貌卻令她和他愈發疲憊不堪。

「一尊稍稍有了一點點瑕疵，就要忙不迭地噴上金漆的女偶，真的美嗎？」他想問她。

美，在一開始的時候，是一輪明月，然後夜夜減清輝，減到最後呢？

會不會是成了鏡花水月、月黑風高呢？

3

那以後，他和她的關係更為矜持淡漠，逐漸成了兩條不相聞問的平行線。她一逕固守著她的城堡，在堡內怡然地扮演著一位美麗哀怨的公主，不讓他進來。而公主面臨的人間最大的危機就是，時間的腳步一刻也不會停下來。

從那天以後，他就一直斷斷續續地做著和那晚同樣的夢。曾經讓人人艷羨的他和她，究竟哪一位，會是夢醒後的那一聲嘆息呢？

4

那一個恐怖到無可言喻的噩夢，在另外一個靜靜的夜裡，悄悄地來臨了。

大地在靜靜的氛圍裡，熟睡一如嬰兒，前一秒還是靜謐祥和的氣氛，當秒針只是往後走了一下，僅僅只是一下而已，在深夜十二點四十七分零一秒的當兒，許多生命，在毫無預警下，瞬間被帶走了，永遠不能從旋轉門出來。

真正是大地反撲，天葬家園啊！到處是嚎啕聲、啜泣聲、呻吟聲和嘆息聲。雨絲穿過樹梢，無聲地飄落著，焚燒紙錢的火光，一逕抖動著鬼魅般的舞姿，散落的餘燼，奔竄在腐敗窒人的空氣裡，不時發出「嗶嗶——剝剝」的聲響。

惶惶然如喪家之犬的他，在浸透著濃厚藥物氣味的醫院裡，在陰森冰冷的太平間，在散佈著鮮血碎骨的斷垣殘壁間，不停地尋覓穿梭遊走。天地不仁，以萬物為芻狗。他清楚感受到一種陰羅冥殿的感覺：遠處近處的僧侶道士們，正為猝逝的亡靈招魂引路……。

身上臉上淌滿了雨水淚水血水的他，苦苦尋覓著，已經失蹤了兩天一夜的她。

他終於在原先是巍峨建物，現在已崩塌一地的碎石殘塊中，發現了她。

這就是一直以來，糾纏著他，讓他時時驚悚不已的，無可言喻的噩夢。

在那個夢境裡，她就是以這樣的方式消失的。

被造物者如此精雕細琢的她，作夢也想不到，竟然會在這樣一個比噩夢還要恐怖的現實，被造物者以如此這般戲謔的方式，再度被雕琢吧？

5

她美麗的五官被嚴重地壓碎了，額顳眉眼皺縮成一坨濕麵糰，兩頰瘀腫烏青、凹陷似井，暴凸的眼球翻白上吊，嶙峋的斷裂齒列間，不斷地淌著黏稠的分泌物……雙手雙腿焦黑得像木炭，手肘爆裂開來，蒼白的骨頭怵目驚心，一頭秀髮也剝落了一大半……。

她整個人就像梵谷那幅「夜空」一樣，漫天繁星都焚燒殆盡的同時，也都玉石俱焚地倒塌在她的臉上和身上吧？

如果不是這樣，她怎麼會在一眨眼間，就被毀得如此決絕而徹底呢？

看到眼前飽經痛苦摧殘，被大火殘垣吞噬碎裂的臉龐和身軀，那形容之悲慘，讓身為枕邊人的他，也不禁為之汗毛直豎、毛骨悚然。

一直以追求至美為終生目標的她，能夠接受如今這副模樣嗎？這醜陋至極的前身，曾經是多麼完美姣好啊！

他放平她的身子，試著為她整理扭曲變形、狼藉不堪的儀容。她的眉頭雖然沒有被毀掉，卻像兩道緊箍咒般，怎麼也撥弄不開，他一再用力撫平，那兩道鎖卻惡作劇般，一再縮皺回原狀。

然後他想要闔攏那雙不肯瞑目，仍睜得大大的眼睛。但是那雙空洞茫然的眼睛，卻像被線香灼燒後，留下的兩顆煙孔，帶著命定且無法擺脫的烙印。他伸出手，一次次想要闔攏它們，卻看到那雙眼睛越發悲憤不甘，氣急敗壞地像在做著無言的抗議。

6

在天地變色的一瞬間，那雙曾經是盈盈秋水的眼睛，曾經攝下了什麼呢？

透過那雙驚恐哀傷的眼眸，他彷彿回到當時屍橫遍野、呻吟哀號的現場。他彷彿看到美麗的她，在大難臨頭、劫火焚揚的當兒，在大火、磚石、土塊直逼眼前，並在瞬間吞噬她的當兒，那種巨大的痛楚和恐懼，應該全部一一攝入她的眼眸，並定格成一種無法消除的噩夢吧！

難怪她會死不瞑目。

當那掙扎求活的巨大傷痛過去了，那掙扎不得求活的姿態，好像還隱約保留著生命最後的震撼。

看慣那長久以來的完美無瑕，此刻目睹她近乎毀滅般的模樣，若要解讀這樣徹底的醜怪，此時此刻完全卸了妝的她，竟瞬間像是一座美麗的廢墟般，耐人尋味了起來。

生與死、聚與散、短暫與永恆，她苦苦地追求了一輩子的美，如今竟然要靠著這樣徹底決絕的毀滅，把它們全部釋放並完成。他看著看著，竟覺得這座廢墟，變得有些悅目起來了……。

還好她死得如此急遽倉促，使她不必經歷美人遲暮、雞皮鶴髮的另一樁災難。

絕世美人最怕時間，因為時間會加倍擴大所有的不堪和崩塌，青春之泉在時間的河裡，一點一滴地蒸發殆盡，表面張力消失了，地心引力騰騰發動，所有無懈可擊的美，在時間的淘洗下，必將終結為一場廢墟。

而她是如此的幸運，竟藉著這種死亡的方式，逃過了時間這一個關卡。

美麗只有一層皮膚那麼深，因為脫卸了美麗的身形，她再也無須為任何美醜的問題傷神困擾了，她永遠不會變老，也永遠不會變醜了。

他在她耳邊輕輕地說：「親愛的，妳自由了！妳可以永遠美麗了！」

說也奇怪，好像真得聽明白了他的話，她緊皺的眉頭一瞬間竟然繃開了，垮下的嘴唇也呈現出一彎上揚的弧度，好像在微笑的樣子。他怔怔地看著，眼眶含著淚水，順勢將她睜得大大的雙眼闔攏起來。

——本文榮獲文學獎

喜翔表弟

1

「人生如戲，戲如人生。」我曾經深深地相信這句話。

曾經看過一部電影，有一段畫面，至今仍令我刻骨銘心。影片中，那位經歷了人生風雨的女兒，頻頻地問娘家的母親：「和父親這樣的男人相處了幾十年，您心裡可曾埋怨過嗎？」

母親笑瞇瞇地回答：「我早早就不再埋怨了。因為我早早就看明白了，你父親不過是一位拒絕長大的小孩吧！」

「不過是一位拒絕長大的小孩吧！」這句話的確令人玩味。它讓我不由得想起一個人來——我的小舅。

在小舅內心深處的某個角落裡，他真得不折不扣就是一位拒絕長大的小孩。雖然在外人來，他很光鮮、很體面、很氣派、很會賺錢，左衝右撞，像極了一頭氣吞山河的帥帥虎。

不但是我，我的老媽，也就是他的老姊，也曾經是這樣認為的。有些女人先是接受了小舅的外表，還來不及思索到其它，以為對方既然是位高貴的王子，那我豈不就是公主了嗎？情執深重，向來是許多漂亮又自負女人的盲點，她們太過於相信自己，相信自己的眼光和判斷不會錯誤，也因此往往碰到一位高富帥，就芳心暗許了。一直要等到故事延伸到另一個情節，才不得不相信，這不是自己原先想像的美好情節。

我那位既美麗又善良的小舅媽，當年就是犯了這個美麗的錯誤。

2

在小舅和小舅媽的故事裡，還有一位小孩，一位真正的小孩——我的喜翔表弟。

聽說喜翔表弟從小舅媽的肚子一出來的時候，他那極為突兀、完全不對襯的模樣，就讓接生多年的醫護人員嚇了一大跳。不到十坪大的產房裡，好像有幾十支巨大的燈泡，忽然從高高的天花板上掉下來，瞬間碎裂一地，令人怵目驚心。最悲劇性的畫面還在後面，當護士阿姨將喜翔表弟抱到小舅面前，才掀開襁褓，小舅看到兒子的第一眼，就像見到鬼一樣，俊秀的臉剎那變得灰白。但是，一個已經來到人間的生命，無論健康與否，模樣如何，值不值得，都回不去了，不是嗎？

喜翔表弟一出生，就是大人的災難，因為他完全不會笑，只是扯著嗓子哭。後來漸漸不哭了，變成一種悶到極點的嗚咽，就像他出生那天的天氣，陰霾密佈，既不打雷、也不下雨，悶得讓人抓狂。

第一個三百六十五天過去了，喜翔表弟用哭叫的方式，來表達他的吃、喝、拉、撒，和其他一些有的沒有的感覺和要求。第二個三百六十五天過去了，小舅和小舅媽又發現，他不會坐，也不會爬。第三個三百六十五天過去了，小舅和小舅媽又發現，他們的兒子不會說話……。

喜翔表弟四歲那年，小舅和小舅媽把他帶到美國，請了最有名的醫生診治。醫生下了結論：「這小孩確定是先天性的遺傳基因帶來的癱瘓，這輩子不可能治好，做大人的只能盡人事聽天命吧」。醫生還告訴他們：「儘量讓這孩子活得舒服一些，讓他能夠活到幾歲算幾歲吧！」

一個不會笑、不會坐、不會爬、不會說話、不會處理屎尿、不會自己吃飯、完全不會自己處理事務的小孩，他能夠活到幾歲？小舅和小舅媽面面相覷、欲哭無淚。

「這小孩絕對不是老天爺送給我們的禮物！」從美國回來，悶悶不樂了好一陣子，小舅決定放棄喜翔表弟，不在他身上，再投下龐大的醫療費用。小舅甚至覺得，這個長得怪模怪樣的小孩，簡直就是事業和社交生活的障礙，也因此，他從來不約朋友或客戶到家裡來。

說也奇怪，從喜翔表弟出生的第四年開始，小舅的生技事業卻越做越旺，旺到必須在北部以外，再開發另外幾個據點，才能消化掉越來越多的訂單。

小舅決定放棄對兒子的希望，擔任國中老師的小舅媽可不願意，她決定把教書的工作辭掉，全心全意地照顧已經五歲的孩子。

3

由於體質的關係，喜翔表弟完全不能接受一點點的油膩，而且不間斷地拉稀屎——那種青的、黃的、綠的、不清不楚的顏色，一點一點的，每天總要拉個六、七次。如果把屎的動作稍微慢了一些，那些粘糊糊的東西，就會粘在喜翔表弟瘦骨嶙峋的小屁股和紙尿褲上。

幾乎沒有什麼感覺的喜翔表弟，卻獨獨對髒的感覺最敏感，只要小屁股上沾著一點點穢物，就像火燒了屁股似的，不停地嚎哭著。女傭淑美一邊用溫開水幫他清洗乾淨，一邊不停地「喔……喔……」地哄著他，一直到他哭累了，不得不閉上眼睛為止。

腦癱兒不是植物人，植物人總是在睡覺，而腦癱兒卻老是睜著眼睛不睡覺。好幾次，在他房間裡的淑美才剛剛躺下不久，很快就被他尖銳的叫聲給驚醒了。就在淑美一邊揉著惺忪的睡眼，一邊嘟嘟囔囔著，還沒有完全清醒過來時，小舅媽已經從另一個房間奔了進來。

「小孩子一定是餓了。淑美，妳是什麼時候餵他的？」小舅媽問道。

「上午十二點。太太。」淑美回答。

「現在已經下午三點鐘了，難怪他會哭成這樣，他不能餓太久的。」小舅媽輕皺著眉頭，話裡有一些責備的意思。

淑美用湯匙舀了一點用榨汁機打的豬肝瘦肉粥，正要送進喜翔表弟的嘴裡。

「淑美，妳怎麼又忘了？餵他吃粥時，一定不能讓他躺著，很危險的，要讓他坐著，才不會漏出來。」小舅媽邊說，邊將兒子的背用枕頭撐住，又拿了一件圍兜，繫在他的胸前。「妳把粥給我，幫忙托住他的下巴，我來餵吧。」

小舅媽是這樣餵的：她用嘴對嘴的方式，把含在嘴裡的粥，用舌尖慢慢地推進兒子的口中，再慢慢地往後推進他的喉嚨裡。就這樣一小口一小口地餵，一小碗粥幾乎要一個鐘頭才餵得完。就像小舅媽對淑美說的，整個過程裡，她沒有讓一滴湯汁，從喜翔表弟的嘴裡漏出來。

「太棒了！寶貝，如果你每次都能表現得這麼棒多好。」小舅媽憐惜地捏了捏兒子瘦巴巴的臉頰，用小毛巾輕輕地擦拭著他的嘴角。

小舅媽嘴對嘴餵兒子吃粥的方式，女傭是絕對做不來的，小舅媽也不會讓一位外人這樣去做。

喜翔表弟五歲時，他所有的功能幾乎都喪失了。首先是頭完全抬不起來，脖子也硬得像鐵架似的，完全不能轉動，手不能伸，腳不能動，只有腸胃還能勉強吸收一些極為稀薄的東西，但一次不能餵食太多，怕消化不良，搞不好會全部吐出來，只能少量多餐，一次餵小半碗，所以他老是處在飢餓中，一餓，就扯著嗓子，「嗯……嗯……嗚……嗚……」地哭嚎個不停。

4

有一次，喜翔表弟感冒了好幾天，他咳著咳著，忽然竟呼吸急促、猛翻白眼，為了搶救他的生命，醫生不得不弄斷了他幾顆牙齒，把管子插進他的氣管，讓他可以呼吸。喜翔表弟在加護病房裡昏迷了一天一夜以後，才悠悠地回過神來。

喜翔表弟再一次和死神擦肩而過。

不知道是小舅和小舅媽第幾次的爭執了。那天，小舅又對小舅媽吼：「這小孩老早就被醫生宣佈活不久了，妳卻把所有的心思都放到他身上。我再問妳一次，妳到底要不要做個稱職的賢內助，好好幫助我的事業？這小鬼根本不值得妳做這樣的犧牲嘛！」

小舅媽蒼白著臉，說道：「他怎麼樣都是一條生命。只要他還有一口氣在，就是我們的孩子，我這位做母親的，說什麼也不能不管他啊！」小舅媽流下很久沒有流的眼淚了。

「我知道妳喜歡小孩，我們再生一個就好啦！幹嘛在這個沒有希望的小東西身上，浪費這麼多力氣？」小舅氣呼呼地嚷嚷著。

「砰——」的一聲，小舅甩上門，回音在屋裡四處奔竄跳躍。他打開車門，加足油門，連夜又趕到外縣市的工廠去了。

淑美有夠盡職勤快，可是，無論再怎麼努力討好，喜翔表弟就是不買她的帳，老是哭的時候比較多。說也奇怪，喜翔表弟每每嚎哭得正起勁的時候，只要小舅媽一出現，他就馬上停止哭泣，好像剛才那種拚了命，聲嘶力竭的哭泣，和自己完全沒有一點關係似的。

5

喜翔表弟六歲了，除了小舅媽，他誰也不買帳。他全身上下唯一會動的器官，只有那一對眼睛。那一對眼睛黑黑的、亮亮的、滴溜溜地轉動著，完全是小舅媽的翻版。他老是一眨不眨地凝視著，正一口一口地餵自己吃粥的小舅媽。

也許這就是為什麼喜翔表弟一睜開眼睛，一旦看不到小舅媽時，他會如此驚恐不安，三不五時就哭叫不休的原因吧！

某些人會把像喜翔表弟這樣的孩子，說是「老天爺要特別眷顧的孩子！」我想，喜翔表弟就是這樣的孩子吧！因為他的確不必負擔生命中的任何一點創傷，因為他有小舅媽這樣的媽媽。在他一生下來的同時，小舅媽就默默地為他背上十字架了。

小舅也背著十字架。

我看過他紅著眼眶，跟他的老姊，也就是我的老媽說：「大姊，我不是不管，也不是不願意回家，我也很愛這個小孩，可是，我就是不敢看他，也不敢抱他。」

喜翔表弟殘缺不全的生命，讓小舅食不知味、寢不安枕，所以，他選擇了將自己放逐，遠遠地離開有小舅媽和喜翔表弟的家。為了拋開心中的負擔，小舅背上了另外一個十字架。

有一次，小舅媽還在大門口，聽到喜翔表弟尖銳的嚎哭聲，忙不迭地奔進來，想不到一個踉蹌，竟然在自家門口跌了一跤，臉上的瘀青和紅腫，一個月後還隱約可見。

「還好是在這個時候摔跤，如果再晚個幾年，我可能就要趴在地上，起不來了！」小舅媽邊笑嘻嘻地調侃自己，邊用溫毛巾輕輕地為兒子擦臉。

擦完臉後，她一逕抱著喜翔表弟，一逕親著他的額頭、眼睛、鼻子、臉頰、嘴巴……。她親得非常溫柔、非常小心翼翼，邊親，邊喃喃地說：「我的寶貝，你和媽咪說一句話好嗎？」這是小舅媽每天都要作上好幾回的功課，她簡直就是……樂此不疲。

6

誰都知道老天爺遲早會將喜翔表弟這樣的生命收回去的。無奈地面對這樣命運的小舅媽，卻在這樣日復一日的功課裡，找到一絲絲的甜味。看到這一幕，我每每把老媽的手抓得好緊，覺得胸口好悶，充滿著一股說不出來的悲哀和沮喪。

沐浴在金黃色的夕暉中，仍然秀麗白皙的小舅媽，顯得有一種說不出來的單薄。我發現她前額的一綹頭髮變灰了。

小舅媽向老媽喃喃地說著：「姊姊，我不知道自己還能撐多久？我真的……放不下他耶！」

老媽要她不要想得太多。

喜翔表弟七歲的某一天，小舅媽眼神發亮，向我們娓娓轉述著一則她聽來的故事：「聽說一位腦癱兒十歲生日那天，竟然奇蹟似地從床上坐起來了……。」

一位腦癱兒脫胎換骨，多麼令人振奮的消息啊！雖然這只是一則聽來的故事，卻是一位母親希望的火種。

小舅媽最最不願意面對的那一刻，還是來了。

7

喜翔表弟八歲的某一天，在小舅媽一如往常，一口一口地用舌尖餵他吃完粥後，喜翔表弟忽然幽幽地吸了一口氣，用那對清潭似水的眼睛，深深地凝視著小舅媽，小舅媽也深深地凝視著他。喜翔表弟嚅動著嘴，似乎想說些什麼，小舅媽涕淚滂沱，將他緊緊地摟住。就在無聲的靜默中，喜翔表弟緩緩地吐出了最後一口氣，緩緩地閉上了眼睛。

聽說夭折的生命在離開時，做父母的再難過也不能哭出聲，否則當他再度投生人間時，很可能還是一樣的命運——來不及長大！因為這樣的原因，在喜翔表弟的棺木即將蓋上時，小舅媽只能忍住滂沱的眼淚，在他耳邊小聲地道別：「我的寶貝兒，你要好好地走喔！」

喜翔表弟就這樣從人間消失了！這是我十五歲的生命中，第一次經歷的死亡。看到一方小小的棺木，被送進火葬場火化，我被一種極為詭異的氣氛包圍著，我恐懼地冥想著，帶走喜翔表弟的死神真得走了嗎？為什麼在如此炎熱窒人的空氣裡，我依然渾身冰冷發抖？還有，一個生命為什麼可以在火光中，就這樣徹底消失了呢？後來大人在喜翔表弟火化後的骨灰裡，撿出了十幾顆舍利子，顆顆晶瑩美麗，令人在無限唏噓中，竟萌生出一股無以言喻的喜悅和希望出來。

8

有一天晚上，我陷入深沉的夢鄉中，發現自己變成一隻蝴蝶，飄飄然飛到一座峰頂。從峰頂俯瞰大地，一片純潔明淨；仰視穹蒼，也毫無一絲陰霾，天空呈現出一片透明清澈的藍。就在彷彿藍水晶似的雲端上，我聽到有個聲音在叫喚我，我抬頭，竟看到一張紅撲撲、笑瞇瞇的臉，我沒有看過那張臉，但是那張臉卻似曾相識。我很快告訴自己：「那不是我的喜翔表弟嗎？」

他向我上下揮動著新鮮果肉一樣的粉紅色的手臂，用一種像水晶一樣的甜蜜的童音叫喚我：「表姊！」

我把這個夢告訴小舅，他聽得入了神，眼眶裡蓄滿了淚水。

聽說有一天，小舅穿著和聖誕老人一模一樣的，滾了白邊的紅色上衣和長褲，下巴粘著捲捲的白鬍子，一個人跑到放了喜翔表弟骨灰的靈骨塔裡，對著骨灰罈外，喜翔表弟小小的照片，喃喃自語了很久，哭了一個下午。

我很想問小舅，在那天以後，他的十字架放下來了沒有？可是我終究沒問。

9

小舅和小舅媽這一對曾經讓許多人稱羨的佳偶，畢竟是擦肩而過了，他們沒有白首偕老。

在小舅和小舅媽正式仳離的三年以後，我和一直都保持聯絡的小舅媽，在郊區的一家二輪戲院裡，看了一部電影。我一邊欣賞著似曾相識的劇情，一邊告訴小舅媽，這部叫「海灘的一日」的電影，我在幾年前就看過了。

看完電影出來，我們走過一排排的商店騎樓，騎樓外，滿滿地停憩了一列列的車陣，喧嘩的市囂聲，不斷地在我們耳邊呼嘯著，有一陣子，我們還耽溺在影片中的一些情節裡。

我怔怔地看著依舊美麗的小舅媽，用影片中那位少婦的口氣問道：「小舅媽，我早早就想問您了，您曾經嫁給我的小舅，對小舅這樣的老公，您可曾失望過嗎？」

小舅媽輕輕地捏了捏我的臉頰，幽幽地笑著。「在妳喜翔表弟出生以後，為了要去擁抱一個殘缺不全的生命，我要求自己，一定要激發出更多的能量出來，真正的去愛他。也就是從那個時候開始，我一點一點看明白了，妳那位小舅啊，從頭到尾，就是一位拒絕長大的小孩吧！」

「所以……，」我看著小舅媽，囁嚅地問道：「所以……妳才……。」

「唔，」小舅媽點點頭。「所以我才下了決心，即使還愛他，也要離開他！」

小舅媽笑得燦爛無比，臉上宛如一朵花。

人生不是戲，戲也不是人生。任何一部電影中的母親活得再艱難，影片不過是兩三個小時的長度而已。

而真實的人生比起電影來，卻要艱難得太多太多了。不是嗎？

本文謹獻給親愛的小舅媽，和來不及長大的喜翔表弟。

——本文榮獲文學獎

林投新傳

1

黑。無際無涯的黑，什麼都看不到。

靜。死一樣的沈寂，什麼聲息都沒有。

我慢慢睜開了眼睛，輕輕吁了一口氣。這一覺睡得多香甜啊，我一定睡了很久很久了。我潤了一下唇，吞了一水，喉嚨很痛，裡面像有火在燒，又像當中梗著一把尖利的刀，我困難地又嚥了一口口水。

我好像做了一個夢。夢裡桃花夾道，落英繽紛，絲絲縷縷如泣如訴，如怨如慕的嗩吶聲，在我耳邊縈繞著，像極了天籟。

這一段日子，一顆心就被鐵鍊緊緊地給糾著，我欲振乏力，卻掙脫不掉扣得越來越緊的鍊條，心裡的血日夜不停涓滴地流著，即將成為一塊乾涸的河床。而在我紅色的淚裡，激情的火焰卻化成了寸寸灰燼。

哦，不要把我的癡狂抹去！你曾應許要舔盡我所有美麗的胭脂，而我是匍匐在你腳下的奴隸。何況我還懷了你的孩子。

真黑啊！偌大的屋子裡，為什麼沒有人擎起一盞燈？

這是我一生中，經歷過的最奇異的黑暗，一絲一毫的天光都沒有，我竟然看不到自己的手。黑得這般濃濁，這般沈重，還帶著一股霉濕的氣味，我像是被什麼給壓著。

這房間好悶。

「我在哪裡？」我輕輕地問道。

一粒小小的石子投入湖中，竟然能激起這樣大的迴旋，我被周遭嗡嗡的聲音給嚇到。

這房間好小。

我要離開這裡，這裡讓人不舒服。胃在翻湧，我大概是餓了。

噗……

這是什麼聲音？謝天謝地，有人來了。

噗、噗……

哦，不是。是轆轆的饑腸，在向它的主人抗議呢！

噗、噗……都不是。不是胃在作怪，是我的肚子。有個東西在裡面蠕動了一下。糟了，就在剎那間，我下面的水閘，竟然失去控制地打開了。如此的安靜，我可以清清楚楚地聽到潺潺的水流聲。

長溝流月去無聲。真要是如此，流水之上應該俯視著一輪含笑的明月才是。但是，月亮，你在哪裡？只要給我一線天光，我就知道這裡是哪裡了。

不妙，溫柔的流水已成潰決的河堤。我將手伸入這一片汪洋中，觸手處，盡是黏滑濃稠。

「這是怎麼回事？」我坐了起來。

「咚——」的一聲，我的頭立刻碰到一樣東西，我被迫又躺了下來。

潰決的流水來勢洶洶，我的腰也一陣痠似一陣。那種痠像是有什麼東西鑽進了我的骨頭裡，正一點一滴地，吸吮著裡面的骨髓。我大口大口地喘著氣，身子蜷縮成一團。

噗通……

噗通……

我感覺有頭小牛在肚子裡奔竄。我的手一按上去，牠卻撞躍得更為厲害。羸弱如我，怎堪如此翻騰？何況，我甚至沒有可以轉側之地，我開始大量地冒著冷汗。

這是什麼鬼地方？

讓我出去！

我伸長我的手，抬高我的腳，在越來越氣悶的空氣裡，竭盡所能地拍打敲踢，直到它們像風中的枯葉，懨懨地垂下。

我的痠已轉為鐵釘刺戮的痛，而一股下墜的力量，正在騰騰發動著。

天啊，我知道什麼事要發生了！

大慈大悲救苦救難的觀世音菩薩，我求求你救救我。這裡越來越氣悶，我的腦門發脹，口乾舌燥，我想吐，我快要喘不過氣來了，我的意識逐漸在模糊……。

慈悲的菩薩，求求你，救救我吧！

我好怕……不要把我關在這裡……讓我出去……

我要生了！

孩子的爹，你在哪裡？你曾親口許諾我，要以你溫潤的唇，舔盡我過往所有狼藉斑駁的淚痕，還我本來顏色。在那些激情的夜裡，你曾在我耳邊，絮絮呢喃著：「君為磐石，妾蒲葦……」

當時明月在，曾照彩雲歸。我把火燙的臉，深深埋進你厚實的胸膛裡，一滴清淚悄悄地流下。在那樣美麗的清輝裡，我含羞地任你褪下了我身上所有的寸縷；在月亮躲裡雲層的同時，我任你搖著槳，輕輕地盪進我微微顫抖的波心。乍雨乍晴，輕暖輕寒，我覺得自己是一個最最純潔無垢的新娘，在美麗的花燭之夜，將我雪樣的玉潔冰清，在你普照大地的輝光下，被全然地熔化。

我要生了！

你們難道沒有聽到嗎？

我……

要……

生……

了……

菩薩，你在哪裡？

下墜的速度好像停下來了。我的心肝，就差這一點點了，真的，就差這一點點了，讓咱們娘兒倆一起來完成它。媽再用力吸一口氣，你要好好接住。因為，媽快挺不住了。

孩子的爹，你好狠的心啊！說什麼「磐石方且厚，可以卒千年。」在我懷著你的孩子，洗盡了一身鉛華，滿心歡喜地期待著，你能攜走我這一片雲時，世情惡衰歇，萬事隨轉燭，卻從姐妹們那裡，聽到這樣的一個消息……。她們吞吞吐吐地告訴我：「新娘子聽說是他的遠房表妹……，家裡開了好大的銀樓……聽說一結完婚，兩個人就要結伴到日本去讀書呢……。」

合昏尚知時，鴛鴦不獨宿，但見新人笑，哪聞舊人哭？

……………………………。

……………………………………。

哇！

我的心肝，你終於出來了。你並沒有被湍急的河床淹沒，反而順著水勢，一路游到了安全的淺灘。太暗了，媽看不到你，但是，就憑著方才那一聲嘹亮的嬰啼，和你在浩浩湯湯中，所表現出來的矯健身手，媽知道，你一定是個健康的壯小子。

「……………。自古以來就是這麼回事，他們這樣的男人，不會對我們這樣的女人付出什麼真心的……妳最好想開點。」

「當作一場夢吧！妳還年輕，又漂亮。把孩子拿掉，一切從頭來過。」

「妳沒有看到外面還有這麼多人正排著隊，要買妳千金一笑嗎？」

嗯哼，千金一笑？易求無價寶，難覓有情郎。如此刻骨銘心的經營，換來的卻是這等鏡花水月。夢是一個多麼奢侈的東西。浪漫在現實裡，又是多麼容易凋謝的一朵花，花朵飄零，化作春泥。

芳心向春盡，所得是沾衣。你那頭是春風桃李花開日，我這裡卻是秋雨梧桐葉落時。眼前的景物越來越黯淡，唉，天長路遠魂飛苦，夢魂不到關山難。黑暗像一張網，把我整個罩住，我看不到一線天光，我已邁不出半個腳步。

當時明月在，曾照彩雲歸。我要藉著這一條小小的白綾，飛進九霄，向那晚的月亮質問：

「真情何在？」

「真情何價？」

我的孩子，媽現在要用牙齒咬斷你的臍帶，撕塊布把你包起來。心肝，你哭得好大聲，你一定是餓了？原諒媽，媽不能給你一滴奶水。不要哭，不要哭，媽的心都快碎……了……。

2

月亮從樹梢後，逐漸爬到了山頭。朦朦朧朧的模樣，像煞了經過了一雙巧手剪裁後，細心張掛在天幕的一輪剪影。暈暈黃黃的，看久了，竟讓人聯想到冥紙的顏色。冥紙？呸，大吉利是。

在這等沈沈暗夜，在這條陰風慘慘，不時鬼火飛揚，沿途墓碣雜陳，一不小心還會被讓野狗刨出來的骨骸，給摔得半死的墳山小徑上，我他媽的到底是怎麼了？哪壺不熱提哪壺，儘朝這玩意兒想。

呸，我用力吐了一口痰。

泥土、蔓草、亂石，摻雜了陣陣屍骸的腐臭味，簡直令人作嘔。今晚是有點邪門，粽子只賣出幾粒不說，人他媽的也昏昏沉沉的，什麼路不好走，偏偏揀了這條路回家。

怪了，周遭怎麼一下暗了下來？

方才還暈暈黃黃的月亮，這會兒竟被一堆悠悠盪盪飄過來的烏雲給吃掉了。月亮就是月亮，它越是高掛天際時，越是好看得緊，和拂曉時，從山頭蹦出來的太陽那種好看不一樣。我每晚深夜時分出門賣粽子，等到那一籃五、六十個粽子賣完，大多時候，人已累得像塊泥巴。老實說，我已經很久很久沒有看到，太陽初初蹦出來的模樣了。

人家是「日出而作，日落而息」，我剛好相反，賣完粽子，回到我那冷冷清清的家，抹把臉，洗洗腳丫，把尿撒完，在太陽露臉以前，我剛好把身體躺平。

賣粽子也是門學問。無論你粽子做得多道地，你一定得捱到夜深人靜，人家廚房的灶頭不生火了，他那一廂正在飢火中燒，輾轉難眠，睡不著的時候，我這一頭覷著機會，站在門外，那麼高聲一喚：

「粽子哦！香噴噴、軟酥酥、熱騰騰的粽子哦……」

大門應聲而開。

那一粒粒的粽子準讓客人吃得齒頰生香，直誇天下一等美味。還邊吃，邊問：

「你到底是摻了什麼獨門秘方，把這麼好吃的粽子給做出來的？」

3

怎麼回事，這短命的月亮，到底是怎麼回事？

烏雲遮月以後，怎麼一下就冷起來了。人像掉進了冰窖，寒意一絲絲滲進了骨頭裡，冷得牙齒都要打顫了。

唉，誰叫我大路不走，偏與鬼爭道呢！我活該。

放眼遠遠近近，重重疊疊的碑影，簡直像煞了一個個穿著灰衣的人影，在半空中，飄啊飄的，他媽的，真是鬼影幢幢。

在月亮隱沒後的方才，我一腳竟踹爛了一個顏色斑斕的紙糊屋子。這些天又多了幾處新墳吧。這兒地勢高曠，朔風野大，紙糊的玩意兒，往往要不了多久，就給颳得無影無蹤。

迎面颳來一陣風，我機伶伶打了個寒顫。待會兒回到家，如果能夠喝它一盅——「一盅什麼？王有德，你真是狗娘操的，你不是人！那鬼東西把你害得還不夠？」

我忽然想哭……。

那年，我老婆臨盆，第一胎，那麼大那麼尖的肚子，沒有人不說準是個帶鈎的，就因為孩子太大了，老婆折騰了一天一夜，都生不出來。先是流羊水，後來羊水流光了，血開始大量湧出來。在那個要命的時辰，我卻醉得稀爛，倒在墳山南邊的乾溝裡，呼呼大睡著。左鄰右舍急了，擎著火把燈籠，還有人敲著鑼鈸，滿山遍野地叫啊喚啊，都沒能喚醒我的春秋大夢。有人曾從我身上跨過，以為我是死人。

我怎麼知道，她會選上那個時辰生孩子？

我怎麼知道，才不過幾杯酒，就醉成了這個德性？

夢裡不知身是客。那些鼎沸的人聲，那些燦爛的火光，在我模糊的醉眼裡，全成了鶯聲燕語，熱鬧喧嘩的怡紅院。

當祥子一把將我從溝裡抓起來時，我正倚在艷紅那娘們香噴噴、白膩膩的大奶子裡沈睡著。艷紅的浪笑像一波波大浪，向我打過來，我在海裡載浮載沈，眼看著就要滅頂……。

老婆被折騰了整整兩天一夜，終於擠出了一團模糊血肉。產婆白著臉，掩著嘴，驚叫一聲後，就跑了。一聲啼哭都沒有聽到。後來人們告訴我，小孩還在媽媽肚子裡就已經沒了，這叫胎死腹中。沒錯，是個男的。最慘的還在後頭，那麼個沈靜得像個影子一樣的女人，說話的聲音比蚊子大不了多少，在鬼門關掙扎了廿幾個時辰後，在孩子生下來不久，無聲無息地，也跟著嚥了氣。

床上、地上一灘灘的血，像小小的湖泊，不斷地漫開來，我張口結舌地瞪著這些湖泊，正急急地要匯合在一起，昏了過去。

黃澄澄的液體裡，日夜飄浮著我老婆和那孩子慘白的臉龐。有一段日子，那些如泉如湧般的湖泊，成了我日夜揮之不去的夢魘。

「王有德，如果你再沾一滴那玩意兒，你就是狗娘操的！」

從那天起，我戒了酒。

4

三月剩下不到幾天，清明轉眼將至，怎麼還冷得這樣？邪門。

「今年清明節，我一定要起個大早，到他們娘兒墳上好好祭拜一下……草也該拔拔了。」我告訴自己。

我其實經常在黃昏時候，到他們位在山腰邊的墳前流連，男人的眼淚也只有在那個時候，才悄悄地流下。

這座墳山實際上是個雜墳交錯的亂葬崗，漫無秩序且不著邊際地亂挖亂蓋。早先挖蓋的一些墓碑，年深日久，早已風化得分不清是誰家的字跡。越往後面，近山陰處，越見亂墳雜陳。

有些窮苦人家死了人，半夜裡用一張草蓆草草了事的，大有人在。有些葬儀社嫌喪家給的錢少，一口薄棺，敲了幾枚釘子，用鏟子隨便挖了個淺坑埋下，不到幾天，就便宜了一些野狗。

還有些風塵中的女人，懷了客人的種，把客人對自己口口聲聲的允諾，當成了海誓山盟。峰迴路轉，移山倒海都可以了，世間哪有什麼永遠不會變的山盟海誓？

就拿我來說吧，老婆剛死的那一段日子，有幾次想不開，偷偷地買了瓶毒老鼠的藥。現在，那些藥擱哪兒都忘了。時間真得會讓人慢慢淡忘許多事，我把他們供在心底的最深處了。

那些出入歡場，夜夜笙歌的恩客枕邊的誓言，哪能當得了真？這些一心巴望著早些從良的女人，珠胎暗結了以後，肚子一天天大了起來，只知道成天躲在屋子裡掉眼淚，眼看著一點積蓄即將用罄，孩子的爹，卻從此鴻飛冥冥。在姐妹們妳一言我一語的勸說下，終於大夢方醒，死了心。顧不得胎兒已經很大了，有些甚至七、八個月，大腹便便，即將臨盆了，一咬牙，決心不要這個孩子。人跑了，自個兒還要想辦法活下去呢，孩子生下來，終究是個累贅。

接受了眾姐妹的建議，揣了錢，偷偷地找了家密醫。蒼白著臉，顫抖著寫下「即使死在手術檯上，您貴醫生也不必負一點責任……」云云的切結書。

經過一陣殺伐宰割，有時過程竟比生孩子還要慘烈，胎兒大部份都被拿掉了。至於這個女人日後還會不會生，醫生當然不必負一點責任。一個願打，一個願挨，誰叫妳當初立下「切結書」來著。

聽說有些女人的子宮，在手術檯上，竟被這些醫生糊里糊塗地給摘了下來。有些被打下來的死胎，手腳眉目都十分清楚了。院方用一張報紙或塑膠袋一包，託人由後門悄悄帶走，往墳山山溝裡一扔，這叫天葬，做了鳥食。

運氣最差的，在手術檯上當時就翻了眼。胎兒實在太大了，在手術檯上一陣折騰，醫生也搞得滿頭大汗，麻藥時間早已過了許久，女人的眼睛卻沒有睜開來。眾人慌了手腳，什麼方法全使盡了，當然包括電擊，才知道女人早已死去多時。一屍兩命，怎麼辦？

「切結書」又成了這類醫生的護身符。一張草蓆，草草地裹住了這對可憐的母子，亂葬崗成了他們最後的歸宿。

薄暮時分，我讓自己倚在那方灰白的墓碑前，冥想他們母子如今究竟如何了？

那個連在床上做那件事時，自始至終眼睛都不敢睜開，兩手只是死死抓著床緣，哼也不哼一聲，最要命的還是，不讓人脫光她的衣服……。唉，這樣的一個女人，在另外一個世界裡，不知道是不是還是那樣拘謹？還有那個模樣兒還沒看清楚，就被抱走的孩子，如今是不是長大一些了？

風雨晨昏，母子同穴，羈魂有伴，你們比起一些滿山遊走的無主孤魂來，畢竟是好了許多。我輕輕地撫挲著清涼的碑石，唉，如果一切能夠重頭來過……。

我經常從自己的小木屋前遠眺，由低處往上看，墳山是如此的靜謐，無論炎夏寒冬，秋風春雨，它都是一副靜謐的安詳的模樣。人間的喜怒愛憎與悲歡離合，隨著枯榮的草木，全溶於漸漸四闔的暮色中。

然後，我才開始準備入夜以後的營生。在糯米中塞進不同的餡，把肉粽和豆沙粽分開兩邊，一一綁牢，放進蒸籠裡。

5

快走吧，再轉個彎，墳山就走完了。

「噗哧——」一聲，我又踢到一盞紙糊的燈籠。白晃晃的燈籠，被我這一踢，凹陷了一大塊，裡面的籠骨大概也斷了。燈籠滾進了蔓生的草叢裡，靜靜地向我眨著眼。

「欸，這位大哥……」，身後響起似落葉墜下的聲音。

是風在林間幽幽的歎息吧？

我讓自己慢慢地轉過身去。大概冷得連腳也不聽使喚了，否則，我何以邁不開一個步子？

「我想跟你買兩粒粽子，要鬆軟些的……」

我覺得有一滴雨，落在頰上，然後又是一滴。

在這樣的黑夜裡，白色竟然顯出比刀子還要凌厲的肅殺之氣。月亮，他媽的，你快點露個臉吧，我要藉著你的清輝，看透那雪也似的衣衫裡，究竟有幾分溫熱和血肉。

子。

我慢慢地放下肩上的提籃，揭開籃蓋。

我的眼皮忽然變得好重，我抑制不住地，打了一個大大的哈欠。

在那樣黑得深不見底的兩泓清潭裡，我多麼想走進去，洗淨我鉛也似沈重的身子。

她接過粽子，遞過來一張紙鈔。

夜深露重還兼雨，伸出來的兩隻手，都沾著濃厚的寒霜。多好看的一雙手，似玉般滑膩清涼。

「大哥，你有水嗎？吃了粽子後會有些渴……」

夜涼如水，寒氣又是如此逼人，那兩片盈盈綻放的花瓣，難怪也褪了顏色。

我將籃中的水壺遞過去。夜裡出門，我就靠它解渴。今晚太冷，沒喝幾口水。我遞過去時，順手取下肩上汗巾，拭了拭壺嘴。

「大哥，你那條汗巾，能不能也送我？方才我一路走上來，袖子不小心被樹枝刮一大塊……」她將右臂舉高。

月亮苦苦掙扎，終於從雲層後面脫身出來。

皓月千里，周遭沐浴在水銀似的清輝裡。雨莫明奇妙地來，又莫明奇妙地停了。我瞪著那截映在月光下，如羊脂潤玉的白，竟有了三分怒氣。

妳好端端養尊處優日子不過，怨歎朱門深院鎖住了妳的嬌顏，暗合了那玉面頎長，錦心繡口的漢子，趁著黑夜，帶了細軟，想效那雙飛比翼，悠遊鴛鴦。但是，這月光卻暴了妳的原形，妳模樣越是標緻，此刻就越是狼狽。妳那些美麗的珠玉翡翠呢？妳那位倜儻多情的箇郎呢？

哼，準是那多情郎君拿了金飾，跑了人，才害得妳這位梅妝蓮步的嬌娥，成了悽悽惶惶的無主遊魂。名節如蘭花，那經得起一絲摧折，這可是妳們女人的第二生命啊！越是好看的女人，越是該珍惜這點。

瞧妳這嬌弱娉婷的身子，那禁得起一夜風寒露冷。妳那如雲秀髮，已蓬鬆散亂，臉上也狼藉斑斑。妳後悔了，是不是？捲盜細軟，再加上與情夫私奔的兩項罪名，妳害怕了，是不是？哼，妳雪也似的裙裾上，還沾了點點血漬呢！難道銳利的石塊並沒有憐香惜玉？

這等險惡崎嶇的世道，哪是妳這種女人能涉入的？

梧桐深院鎖清秋，總好過那迢迢漫漫的歧路吧！

「姑娘，趁著這樣的月色，趕快回頭吧！等天色一亮，妳一現形，就晚啦！」

是什麼樣薄情寡義的漢子，狠心辜負了這嫦娥的海樣深情？在妳臨去幽怨慘淡的眼眸裡，似乎想告訴我一些什麼……。

6

心肝，你一定哭了很久了吧？瞧你一張小臉漲紅得這樣。媽不是回來了嗎？還帶回了這些東西。

好冷哦！讓媽用這塊布裏住你的小身子。你看，媽帶回了什麼東西？這叫粽…子…，是用一種叫糯米的東西做出來的。這是水……。心肝，讓媽摟著你，用這兩樣東西，調製出你初臨人世的第一道食物吧！

媽先把這幾滴水，倒進這一小撮糯米裡，讓它慢慢兒化開，讓它更鬆，更軟，更入口即化。母親的奶水，原該是孩子最好的瓊汁玉液，但是，我的心肝，媽現在卻只能餵你這樣的東西。

來，把小嘴張開，媽現在要將第一口米漿，慢慢地餵進你的小嘴裡。味道如何？啊，它正一點一點地通過你的喉嚨，進入你的小肚肚裡了，媽心上的大石總算落了地。來，媽再餵你第二口。

你看，我們頭上的夜空多麼美啊！

那圓圓亮亮的，像極了銀盤的東西，叫做月亮，那是媽媽的臉。環繞在它身邊，一閃一閃的，叫做星星，那是媽媽的眼睛。

你聽，四周正在響起什麼樣的一種天籟啊！

這樣特別的奏鳴曲，是由夜鷹、斑鳩、啄木鳥……，還加上青蛙、蟋蟀、蚯蚓……，很可能飛蛾也參了一腳呢！如果不是置身這樣的靜謐，我們如何能聽到？原來聲聲相疊，竟也能撞擊出這樣奇妙的一種朗朗乾坤。

這樣的聲光相映，這樣的幕天席地，望著你安詳甜蜜的小臉，媽心頭塞滿了太多太多的感觸。在遍嘗辛酸的苦汁後，大慈大悲的菩薩，竟在最後，賜給媽媽這樣一個珍貴的禮物。

心肝，在我們哀憐蚊蟻的脆弱短促，殘紅的飄零無奈時，也為自身合十禱告吧！

生命無常，生活維艱，才邁步已百年身，一回首又滿目瘡痍。無常不待鬢白，不待花謝，不待風起，不待雨落，而在你每一個當下的呼吸、行走，起心動念間。

媽的韌性不夠，沒有參透這一點，在與無常的角力中，媽把自己輸掉了。媽在把自己輸掉的同時，才如蛻蛹而出的蛺蝶，輕盈翩飛。

原來在滾滾紅塵中，只有把自己拉升到某一個高度時，一切的貪、瞋、癡、愛，才會顯得那麼微不足道。可惜媽媽的頓悟卻晚了一步。

心肝，媽是那麼急於要告訴你：滾滾紅塵其實自有一番清明。無常中其實也充滿了生機。峰迴路轉後，必定柳暗花明，又是一番好風景。那使你一度悲傷的，正給你無限喜樂，你的出生對媽媽來說，不正是這樣嗎？

媽在尚未化作彩蝶之前，曾一度步履沈重地，遊走在愛恨之間。愛與恨，善與惡，會像一對孿生子，在血脈中相互糾葛排斥。於是命運就像影子般，在我們身後亦步亦趨，媽終於走上了生命既定的軌道，走向一個可以預見的黑暗的陷阱之中。

我的心肝，你終會成熟，成熟到願意去沈思生命的意義和本質。那時，請你回憶媽曾在你耳邊的這番叮嚀：

「無常其實並不可惜，它雖然會打擊你，卻不會遺棄你。它似火、似冰來試鍊你，使你且深且廣，長出像竹子般可，以預見並抵抗風雨的彎度。」

媽希望你，長成一個真真正正的男子漢。

再過一會兒，星月即將隱去，朝陽即將昇起，媽那時將沉沉地睡去。

心肝，讓媽再親你一下，讓媽再抱你一下，媽要把你甜蜜的小臉，烙印在媽的心版裡，帶進媽沈沈的夢中。

7

我整個身子好像浸泡在冰水裡，兩條腿像木樁，動也不能動，牙齒「咯噔——咯噔——」抖個不停，有根大鐵釘在後腦勺，不斷地刺戮著，痛得要命。

我很奇怪，自己竟然還能這麼清楚地感覺出，身上的這些變化。

它靜靜地躺在那裡，躺在桌腳的陰影裡。

木椿慢慢動了，我彎下腰，把它拾起來。

昏昏黃黃得近乎曖昧的色澤，一開始，我以為那是一張馬糞紙。那個王八羔子跟我開這個玩笑？我很氣。但是，我很快就掉進了冰水裡。

這哪是什麼馬糞紙？

我的媽呀，有根大鐵釘，開始在我的後腦勺刺戳著。

這，這是一張慘黃黯淡的冥紙啊！

我太清楚它是打哪兒來的。我的牙齒開始「咯噔——咯噔——」直打顫。

我不明白的只是，嵐霧雲環濕，清輝玉臂寒。妳為什麼不乾脆一口氣吮盡我身上所有的精血，去還原妳本來的雪膚花貌？

妳要兩粒粽子，幹什麼？

莫非是我身上的元陽太盛，使妳卻了步？

妳要水壺，幹什麼？

還是我那善良的老婆，向妳苦苦地哀求：「放了他吧！他是這樣的卑微……」，才讓妳轉了念。

妳要一條汗巾，幹什麼？
難道妳還會流汗？
鐵釘已變成了鎚子，在我後腦勺，有一下沒一下，重重地敲擊著。
窗子一點一點地亮了起來，我看到一輪火球，從山後蹦了出來。
太陽底下沒有新鮮事。娑婆世界依然充滿了無限生機。我望著遠處的墳山出神。
在妳臨去幽怨慘淡的眼眸裡，似乎想告訴我一些什麼……。

8

天階夜色涼如水。
我徘徊在這一條小徑上，全身沐浴著濃濃的寒霜，手中擎著一盞紙燈籠。
星子正一點一點地隱沒，月亮的清輝逐漸朦朧。
殘燈無焰影幢幢，我不時用手遮著燈籠的風口。瀟瀟夜雨，你儘管落個千年萬年吧，只要這點火焰不滅，它就可以引領那人，從黑夜中一步一步走過來。

長河漸落曉星沉，我的心也越來越沉重。
我的心肝已經很餓了，他一直在哭，而你的蹤影至今未現。
難道是這樣的瀟瀟夜雨，讓你不想出門？
還是我昨夜的模樣，嚇著了你？
為誰風露立中宵，我已經在這裡，苦苦地等了很久很久了。
求求你，求求你從那處轉角走出來，一步步走進我焦急的眼眸裡。
我的心肝一直在哭，難道你沒有聽到他的哭聲？
昨夜，你的眼光是那麼溫柔，你那麼慷慨地把我需要的，都給了我。
生命與生命的相濡以沫，是人世間最美好的至寶。在那樣溫暖的受授中，它使人蛻去塵垢，趨於清明。
在那樣的眼光中，我的眼淚差一點奪眶而出，我差一點想告訴你一些什麼……。
難道我真得嚇著你了？
求求你，求求你走進我越來越模糊的視線裡。
我真得要求不多。只是一、兩粒粽子，還有一些水。而那卻是讓我的心肝能夠活下去的泉源。

看來連這樣的一絲希望也要落空了。空山寂寂，哪有些微的足聲？

我的心肝在哭，可是我的眼皮越來越重。

曙光即將來臨。明日隔山岳，世事兩茫茫。

我的心肝好像不再哭了，他大概哭累得睡著了。

左前方，那一株木麻黃的枝椏上，好像有什麼東西在晃動，讓我藉著這點隨時就要滅掉的火光，走上前去看看究竟。

一串粽子！

一個水壺！

還有一件水紅色的夾襖！

剎時，我的眼淚如決堤的江河，再也抑制不住。

9

如波如濤的雲霧，向我湧過來，四周白茫茫一片。

「這是哪裡？」我怔怔地瞪著眼前的景象。

雲霧無聲無息地，繼續在周遭翻湧蒸騰著。

「這是天上？還是人間？」我大聲問道。

就在這時，我看到妳一身潔白，從白茫茫的雲霧中，娉娉婷婷地走出來。緩歌漫舞凝絲竹，我同時聽見了雲端裡的聲聲慢慢。

風吹仙袂飄飄舉，雲鬢花顏金步搖。難怪滾滾塵寰留不住妳，難怪妳一現身世道，就傷痕累累，原來妳的來處在這裡。

妳忽然盈盈向我拜倒。這，這怎麼可以？美麗的仙女。

妳幽怨慘淡的眼眸裡溢滿了淚水。這，這究竟是怎麼回事？

「大哥，墳山西北角有一座新墳，墳前有株木麻黃，棺裡有個出生才兩天的男嬰，他正餓著肚子，他正在哭……」

梨花一枝春帶雨，妳淚如泉湧。

「男嬰？在墳山上？」

雲霧忽前忽後，妳在雲霧裡時隱時現，一切都顯得那麼不真實。

「是的！他快捱不過去了。大哥，我知道你是個好人，我求你，一定要把他從棺裡救出來，把這孩子撫養長大。」

妳眼中那種神情，我在我老婆臨終前的最後一瞥中也見過。

「我……我可以嗎？」我喃喃地問道。

「你一定可以。只要你有這個心，你一定會是個好父親。這孩子就託你了。你的大恩，我林投來生做牛做馬再相報了。」

妳又向我盈盈拜倒。

如波如濤的雲海不見了。

緩歌漫舞凝絲竹消失了。

今夕是何夕？我究竟在哪裡？

我怔怔地坐在床上。

10

我踉蹌地推開門，鋪天蓋地的濃霧，向我撲將過來。
墳山在虛無縹緲的嵐霧裡，向我招手。
白霧似一堵牆，把我圍住。我像一頭獸，急著要竄出去。
好心的太陽，你他媽的做點好事，今天就早些露個臉吧。
「棺裡面有個出生才兩天的男嬰，他正餓著肚子，他正在哭……」
梨花一枝春帶雨，妳淚如泉湧。
我知道，我知道。所以我才急得這麼滿頭大汗，急得在匆匆奔出時，竟然忘了攜上火把或燈籠出門，才會一路跌跌撞撞，把自己弄得一身狼狽。
這滿山遍野的碑碑石石，全被大片白霧罩著，我連我老婆孩子的墓碑在哪兒，一時都認不出來，而妳的究竟在哪裡？

11

「他快捱不過去了……」

妳哀慟欲絕的眼神像一把刀，可以把人的心捅得稀爛。

原來天下母親的眼神，在某個時候，竟是這般的相像。

孩子，再挺一會兒，看我披荊斬棘，如何把你給救出。

木麻黃，對了，我差點把它給忘了。儘管白霧茫茫，我相信還是可以在鬱鬱蒼蒼中找到它，因為它是那麼樣的與眾不同。

昨夜，當月亮初初懸上枝頭，我曾像隻耗子，悄悄地來到這裡。

那株樹孤伶伶地沐浴在清冷的月光下，是那樣深深地震撼了我。

它像塊磁鐵，把我牢牢地吸住，我瞠目結舌地瞪著，被催眠似地，一步步走向它。

千樹萬樹，它卻是其中最特別的一株。那樣的傲岸，那樣的昂揚，那樣孤獨卻又堅挺地頑立著。

我一步步走近它，像走進一個茫茫的夢境。

12

就在那時，我把粽子、水壺，連同夾襖，一一掛在它的枝上。

我當時只有一個念頭：癡情冥頑如妳，如果把我這萍水相逢陌生人的話當成風過林梢，兀自在這崎嶇世道徘徊踟躕，不肯回頭，執意要找回妳的情郎；那麼，這些東西，或許稍能解妳一時之困吧。

如果，妳已轉身歸去；那麼，這些東西，就用來幫助其他的迷途者吧。

我像隻耗子，悄悄地來，又悄悄地離去。

那唯一的一株，在哪裡？

在霧氣逐漸消失的同時，我看到它，向我做出這樣的手勢——奔向我！

孩子，我的孩子，爸爸來了。

林投，我找到妳了。

碑上「林投之墓」四個字，沐著濕濕的水氣。我吁了一口氣，把碑石輕輕地推開，撥開那坏新土，打開棺蓋。

霧氣就在這時散開了。

我的孩子，你正沈沈地睡著，鼻息均勻，臉上淚痕未乾，臉色蒼白了些。真難為你了，餓得這樣，還能睡得著。我輕輕地把你抱起來，你身上那件夾襖好耀眼。而妳，林投，質本潔來還潔去，即使在這個時候，妳依然潔白似雪。只是妳美麗的秀髮，已開始枯萎，朝如青絲暮成雪，我擔心當太陽冉冉升起時，白雪將被全然熔化……

這裡曾發生過什麼地動天驚的事？

13

一地的粽葉、水壺，躺在已呈赭黑色的大片血跡上，妳曾在這片紅色的怒海中，載浮載沈了多久呢？

我輕輕地拂去妳臉上的髮絲，揩去妳臉上的淚痕，撫平妳衣衫上的皺折。然後，我把妳脖子上的玉珮取下來，掛在孩子的身上。

孩子，爸爸不得不把你搖醒，睜開你的眼睛，仔細看，不僅用你的眼睛，還要用你的心，用你整個靈魂，把這個沈沈睡去的女人，深深地、緊緊地、牢牢地刻在你的心版裡。

她是你的母親！

她的名字叫林投！

永遠永遠不要忘記，她是在什麼樣的一種情形下，把你給生出來的！

我輕輕地把棺蓋闔上。

林投，謝謝妳，我做夢也沒有想到，一點小小的施予，換來的，竟是這樣一個美好珍貴的報償。

——刊登於〈台灣新聞報〉副刊

親親壞寶貝

1

有些滄桑不能言說，因此我選擇讓自己化作一陣微風，不時進出，去探訪一條巷子，和既熟悉又遙遠的某些事物重逢。

這條巷子就叫做回憶。

這條回憶的巷子裡，光線一度朦朧過。

初生的小鳥，應該敏捷地傾聽風的輕鳴，覓著風的腳步，在大地飛翔，在枝頭啁啾，和高山流水合奏一首天籟的。大部份的小鳥，應該是循著這樣 1+1=2 的腳步吧！

但是，有一隻小鳥，卻不是這麼回事。

小時候，我的人際關係糟透了。這其中有一個很「醫學名詞」的原因——有些醫生認為我是一個「感覺統合不協調」的孩子。

醫生告訴驚慌失措的母親：「妳的孩子有點不對勁……」

「不對勁！什麼意思？請你說得再清楚一點。」母親煞白著臉，快要哭出來的樣子。

可憐的她，陣痛了三十個小時之後，醫生看我依然固若磐石地，據守在她羊水即將流盡的子宮裡，最後只得用剖腹的方法，把我硬抱了出來。我是她的第一個寶貝耶！她給了我生命。我卻給了她肚皮上一道十公分的刀痕，還有其他一些……很憂傷……很不堪……很不快樂的……東西。

「『感覺統合不協調』，就像一個原先好端端的鬧鐘，忽然掉到地上，再撿起來，雖然還是叫做鬧鐘，但是裡面的數字已經亂掉了；得觀察一陣子，或者拿去修理，想辦法把這些亂掉的數字，再放回原來的位置。」醫生向母親說道。

「數字亂掉的鬧鐘，可以修得好嗎？」母親撲簌簌地流著淚。

「有些可以修得好。有些甚至不去管它，它自己也會好。」醫生安慰母親。

現在，你應該知道我小時候的人際關係，為什麼會這麼混亂、紊亂、錯亂的原因了吧？

2

我喜歡用很大很大的嗓門說話……不太理會別人在說什麼……我只注意自己喜歡的東西……不太理會必須去記得的一些事情……。簡單地說，我喜歡活在自己的節奏和旋律裡，活在自己編織的情節和氛圍裡。

所以呢，這個叫做「感覺統合不協調」的東西，如果只是一種無聲、無息、無形、無味的化學分子也就罷了；但是，它偏偏就像一個非常非常不可愛的孩子，不時釋放出一些莫名其妙的分子來捉弄我，想擺脫卻擺脫不掉。

這實在是一種挺不愉快、挺滄桑的感覺，但我卻兀自沉溺在這種感覺裡，醒不過來。

「太陽的『陽』字，妳為什麼老要寫成『惕』，有『惕』這個字嗎？」，母親的聲

母親的聲音大了起來。

我知道，接下來她就會告訴我，這個「陽」字和其他的許多字，她已經抓著我的手，不知道教了我幾百次了，但是我就是記不住。

「告訴妳，只要一進了門，就要換上拖鞋，為什麼說了三個禮拜了，妳就是記不住？妳同學周珍宜來我們家，媽媽只告訴了她一次，下一次她就知道換上拖鞋了。」

我知道周珍宜很棒，她是班上第一名的模範生，長得又漂亮。那又怎麼樣，我還是一進門就光著腳丫，不穿拖鞋。直到有一天——「他媽的，妳到底要妳媽告訴你多少次，妳才肯穿上拖鞋？妳再忘記，我就把妳的腳給剁了！」

如果母親必須淚眼婆娑，一再苦苦地要求；那麼，父親的這一招實在高明，因為他只用了一個耳光，就讓我牢牢記住了，記住一進門，就必須穿上拖鞋。

那天晚上，月亮在窗外溫柔地照著我，我把拖鞋緊緊地抱在胸前，告訴自己：「要記得明天一下床，就要穿上它們，一直到走出家門喔！」

吃耳光事小，腳被剁了，就一點兒也……不好……玩了

3

類似的情節交疊重複著，也交疊重複著，類似的折磨和滄桑。一段時間後，我忽然發覺父親不再甩我耳光了，我還來不及高興，卻發覺他改用一種非常遙遠冰冷的眼神來看我，母親的眼光，則依然憂傷如故。

許多年後，當我來回穿梭在記憶的巷子裡時，我依然會被這些場景困惑住：這些場景究竟曾經真正發生過呢？還是我「想當然耳」，硬想像創造出來的呢？要不然，為什麼有些場景我怎麼也記不住，而有些卻是刻骨又銘心呢？

就像是，父親和母親時常在半夜裡，吵架的那些場景。

他們不知道，我時常在半夜裡小便後，趴在門後偷聽。

「那個曉雲哪裡比我好？」母親邊哭邊問。這是她日漸消瘦的原因嗎？

「…………。」

父親氤氳的長壽香菸味，從門縫裡冷冷地溢出來，嗆得我眼睛好痛。

他們原先的愛情，跑到哪兒去啦？

究竟是人生造就了某些記憶，還是記憶造就了某些人生呢？

我不知道「感覺統合不協調」的我，究竟曾經捕捉住了，追認添加了，或栽贓拼湊了多少「記憶」的場景？

我只知道，自己一直是別人認為最吵鬧的壞孩子，但是我一點也不覺得自己是。當別人向老師反應我有多吵鬧時，我會大聲地反駁：「我沒有！我沒有！別人比我還要吵！」

「沒有一個人不說妳最吵！最吵還嘴硬。不但不認錯，還要撒謊狡賴。妳真是一個壞到不能再壞的壞孩子！」快要退休的女老師，滿臉通紅，目齜欲裂地指著我的鼻子大罵。她的眼神、她的言語、她的那些肢體動作，活脫就是「灰姑娘」中，那位中了邪，還一逕在折磨好孩子辛黛蕾拉的壞後母。

我搖搖頭。我是真的生病了，每一堂課，我都得和成千上萬個討厭的睡魔對抗。有時候睡魔大軍來勢洶洶，我只能抱頭鼠竄，落荒而逃；有時候又覺得自己有如神助，得到諸佛菩薩和上帝、媽祖娘娘的幫忙，一夫當關，就打退了他們。

難道在一夫當關，打退睡魔大軍的當兒，那當兒我曾經忘我地，高唱過勝利的凱歌？又吵到別人了？

九歲的我，竟然能讓一位五十歲的女老師，失控到如此這般地步。我來不及暗爽，仍一逕為自己辯護。

「我才不是壞孩子……我是有……在說話啦，但是……，彭念植他們……比我還要吵啊！」

辛黛蕾拉是個好孩子，所以她希望自己像一隻小鳥，急著想飛出這個虛實交錯的，像牢籠一樣的家。

我不是班上最吵的孩子。那幾天我都在感冒，喝多了「可待因止咳糖漿」的我，一直愛睏得很，難道在惺忪的睡眼中，我仍兀自旁若無人地，大聲說著夢話？

我斷斷續續、拉拉扯扯地向她說：「老……師，我……病……了，這幾天……我……上課其實都……都……都在睡……覺，沒有在吵鬧……

但是，「可待因」這個東西，卻讓我舌頭打結，每句話都斷成七零八落，我越是想解釋，她就越是生氣，最後伸出手，堵住我的嘴巴。

那天傍晚，女老師向趕來接我回家的母親，絮絮叨叨地說了我許久，說我有多麼吵，多麼不乖，多麼會撒謊，多麼刁蠻，多麼多麼……壞。

母親一臉節制，一逕地低聲道歉。我瞅著她美麗的眼睛，比平時還要深沉，裡面貯滿了水汪汪的東西。

「拜託！該道歉的是我哪！是我惹毛了她，又不是妳，妳幹嘛一副討挨罵的樣子？」我憐惜地瞅著，仍是一臉節制的母親。

女老師悻悻地走了。空蕩蕩的校園裡風雲俱靜，只剩下母親和我。

母親憂傷地看著我。「不要又是告訴我，妳只聽到別人在吵，沒有聽到自己比別人更吵！」

4

風，徐徐地吹進巷子裡。我聽到有一群媽媽，在大聲叱罵著孩子，叫他們快點去死。還有一家窗子裡，抛出了許多撕得粉碎的紙屑，在彷彿七彩琉璃的夕暉中，有如天女散花一樣，既夢幻又美麗。

一朵金色滾著橙黃邊的小狗模樣的雲，在母親和我的頭上，頑皮地扮著鬼臉。下一會兒，它又會變成什麼模樣呢？

一朵雲，加上無量無邊的想像後，可以變化成蟲魚鳥獸、麒麟龍鳳、孫悟空、老巫婆、辛黛蕾拉……，一朵雲，可以幻化出千變萬化的模樣。

老師說我在撒謊，是的，我的確在撒謊。因為我覺得撒謊比較……好玩，比較……放鬆，比較……自在，比較像是「感覺統合不協調」的樣子。

我忽然生出一種影影綽綽，微微不安的感覺。我忽然很想攙住媽媽，她是那麼樣的纖細瘦弱。

「媽，爸爸不再回來了嗎？」我問。

母親點點頭，眼神更深沉了。

母親和父親的關係，冰冰冷冷很久了，父親對我也是這樣。我的「感覺統合不協調」，是否曾加速他們暗淡而冷漠的關係呢？

我曾想像過，父親可能為了那個叫曉雲的女人，或者是別的原因，離開了母親和我，沒有想到的是，他竟然連抱抱我一下都沒有，就像風一樣地離開了。我還會有機會，去感受他手掌中透出的溫熱嗎？即使只是一記冷冷的耳光。

5

流轉輕揚的風，忽然凝重了起來，我心裡一片空愣。有一片紙花飄浮到眼前，母親一把兜住，塞到我手裡。

「媽，我是壞孩子嗎？」我囁嚅地問道。

「不，妳不是壞孩子，妳是好孩子，媽媽會保護妳，不讓妳再受到一點傷。」母親緊緊地捏著我的手。

我鼻頭一酸，鑽到她懷裡，放聲大哭。「媽，有許多人不愛我，爸爸也是。所以，妳不能不愛我，妳一定……一定要愛我喔！」

「寶貝，媽媽怎麼會不愛妳呢？記住喔，以後大聲說話的時候，一定要留意一下別人的表情，如果別人不是很高興，就表示妳吵到別人了。做得到嗎？來，和媽媽蓋個手印。」

6

有些想像的場景，比真實的場景，還要來得更美麗一些些，但是，有些滄桑的東西，真得是不能言說的，既然如此，那就把它們，一一送入記憶的巷子裡吧！

我知道，我一直想做一位好孩子！一直一直想做一位好孩子！

有些滄桑的東西，真得是不能言說的，就像那個曾經掉到地上，差一點就壞掉的……鬧鐘。

——本文榮獲文學獎

天堂的孩子

1

二〇一〇年・三月五日・天氣晴

親愛的安安，今天是你兩歲的生日喔！

現在是早晨，看著你熟睡的小臉，是如此的安詳甜蜜，媽咪禁不住要誠摯地感謝上天，賜給媽咪這樣一位可愛的孩子。迎著窗外溫暖芬芳的春光，媽咪鄭重地許下了這樣的誓言：媽咪要用一生的愛來擁抱你！因為媽咪相信，有愛，就有希望！有愛，就有力量！有愛，就有光照。即使少了你父親，媽咪依然相信，靠著這樣的愛，一樣能把你撫養長大。雖然你還不了解，媽咪還是要告訴你，你的父親雖然給了你另外一半生命，卻因為不願意承擔你的成長過程，所以，他選擇離開了媽咪，也離開了你。

親愛的安安，在這個春光明媚的此刻，媽咪多麼希望你能了解：

太陽底下一定有許多美好的事物，娑婆世界一定充滿了無限的生機。親愛的安安，生日快樂喔！

2

二〇一〇年．八月六日．天氣晴

親愛的安安，媽咪今天帶了你，到醫院作心理治療門診喔！

你有沒有注意到，在診療室裡，有幾位和你情況差不多的孩子呢？你們看起來很像，都是乖巧安靜得讓人心疼的孩子。媽咪看到坐在角落裡的一位媽咪，從大包包裡，拿出一艘玩具船，她先在水盆裡注入水，然後和頭上紮著紅色小蝴蝶結的女兒，煞有介事地，玩起划船的遊戲來。這位媽咪一邊操作著小船，一邊興奮地嚷嚷著：「加油！

加油……！」

這位媽咪，玩得不亦樂乎，可那位女孩，卻安靜得像一尊小小的雕像。

媽咪小聲地問那位媽咪：「孩子一直都是這個樣子嗎？」

「不！」那位媽咪笑瞇瞇地說道：「她已經進步很多啦！」

別人看來並不怎麼樣的動作，可做媽咪的心裡，卻自有一把尺。

已經進步很多啦！那麼，之前是什麼樣子呢？媽咪不忍心再問下去了。

一直到接近中午時分，媽咪才牽著你的手離開醫院。一路上醫師的話，不斷地在媽咪耳邊迴盪著：

「自閉症的孩子一向生活在自己的世界裡，很少注意到外面的環境，你必須不斷地和他說話，不斷地讓他學習，否則他就會永遠封閉在自己的世界裡，根本不會，也不想主動的和別人溝通。」

有人說，人間某些美好的東西，可能會因為疲累的緣故，一點一點地消退；但是，媽咪對你的愛，卻永遠不會消退。

親愛的安安，加油喔！

4

二〇一一年・二月十六日・天氣晴

親愛的安安，今天外婆來我們家，還幫你洗了澡呢！她一直稱讚你又長大了不少，也越來越可愛了。她不斷地把浴缸裡的水，輕輕地潑到你的臉上和肩上，也不斷地在你的耳朵旁，絮絮叨叨地說著：「親愛的小安安，你越來越可愛了呦……」

她一遍一遍地，對著你嘟囔著：「小安安，我是你外婆，安安乖，親外婆一下……。」

安安，一直到外婆把你的身子擦乾淨，又幫你穿上衣服，你都是一逕閉著小嘴，睜著清澈的眸子，彷彿在注視著外婆，也彷彿在注視著，默默地站在外婆後面的媽咪。你那一雙黑白靈動的眸子，只是一逕茫茫地注視著，其實，你什麼也沒注視吧？

外婆皺著眉頭，用幾乎是耳語的聲音，跟媽咪說：「我真得不知道要怎麼來和這個小傢伙溝通？他越是這個樣子，女兒啊，你就越是苦！」

親愛的安安，可媽咪知道，你絕不是痴呆，你只是暫時不願意和別人說話而已。是嗎？

5

二〇一一年．七月二十日．天氣晴

親愛的安安，今天你做了一件挺失禮的事喔！媽咪要幫你把這件事記下來，希望你今後不要再犯了喔。

今天阿姨和表弟來我們家，媽咪給表弟和你一個人一個果凍。你一向喜歡吃果凍，兩三下就把果凍吃完了。當表弟邊舔著甜甜的果凍，邊津津有味地，盯著電視節目時，你竟然冷不防地伸出手，一把搶下表弟手中的果凍。

媽咪大聲地向表弟說：「瑋瑋，把你的果凍拿回來！」

表弟也許被這突如其來的狀況嚇住了，他一時反應不過來，怔怔地看著你。媽咪也急了，伸手就搶過你手中的果凍，還給了表弟。你大哭大鬧不止，完全失去了平日可愛安靜的模樣，但媽咪置之不理。

阿姨頻頻追問媽咪，為什麼要對你這個樣子。「不過是個果凍嘛，就讓安安吃了算了。」

媽咪告訴阿姨：「自閉症的小孩沒有人我觀念。安安其實只看到果凍，沒有看到拿著果凍的表弟，所以不能縱容他，一定要拿回來還給人家。要一次一次的訓練，安安才能漸漸養成正確的生活習慣。」

在表弟怔怔地吃完果凍前，一直哭著的你，沒有再伸出手，去搶他的果凍。

親愛的安安，希望每一次的事件，對你都是一次又一次的歷鍊和考驗。媽咪相信，你將來一定是一位彬彬有禮的小紳士喔。

6

二〇一二年．四月四日．天氣晴

親愛的安安，今天是兒童節，是每一位小朋友的節日，媽咪祝你兒童節快樂！

昨天媽咪去參加了一場自閉症兒的座談會。一位在美國拿到電腦博士的自閉症患者現身說法：他自小就是自閉症兒，因此可以隨時自外於外在環境，專注於自己的工作，反而比一般人在專業表現上，有更高的成就。

聽說大明星湯姆克魯斯，小時候也是一位學習障礙的孩子，可是他今天卻能熟背那麼多的劇本，飾演那麼多的角色，演技那麼樣地出神入化。

還聽說……。

親愛的安安，這些都是別人的故事，可這一個又一個故事，都是媽咪希望的火種。

7

二〇一二年 十月八日 天氣晴

親愛的安安，媽咪今天收到你父親寄來的一封信，他在信中非常關心你，也一再地探問你的狀況。他說，他希望能盡到一些父親的責任。

媽咪在回覆給他的信中，將你和媽咪前不久去澳洲雪梨玩的時候，你笑瞇瞇地，摟著無尾熊的照片，還有另一張你叫著：「媽咪！」，並用力摟著媽咪親親的照片，一併寄給了你父親，相信你父親看了以後，一定會非常高興。

安安，人生的悲劇在於，愈是相愛的人，卻彼此傷害愈深。媽咪和你父親曾經相愛過，之所以決定從戀愛中走向婚姻，是因為當初兩個人都認為，戀愛的不穩定感太累人了，一旦結了婚，就大事底定。但是婚姻的惡作劇卻是，它只是開始，而戀愛中的人，卻往往以為它已經完成了。

媽咪和你父親當初都不夠成熟，不夠成熟到可以攜手一生。所以媽咪和你父親，都沒有在婚姻中成長，也一再地對彼此怨責傷害。

既然不能讓孩子在父母的和好中長大，就不要讓孩子在父母的擠壓中受傷吧！

親愛的安安，這就是你父親當初離開你的真正原因。

過濾掉愛的殺傷力，愛的美好，才會開始顯現。

安安，你大可以給你父親一次機會，讓他可以和媽咪一樣地來愛你。媽咪相信，你父親對你的愛，絕對不會少於媽咪給你的。誰說夫妻一旦分開後，就一定要視同陌路呢？媽咪真得很想和你父親再做一次好朋友。畢竟媽咪和你父親是在最相愛的時候，生下你的。

安安，媽咪多麼希望，有一天你真正長大了，大到擁有一個堅強有力的肩膀，大到擁有一雙洞明世事的眸子，大到足以感受到人世的困頓、起伏和無常，大到能踏踏實實地去省思生命的意義和本質時，媽咪多麼希望，能夠和你像朋友一樣秉燭西窗、促膝談心，把人間的缺憾，一一還諸天地，媽咪希望，天下所有媽咪們的愛，都能夠彌補天地一一的缺憾。

親愛的安安，有了你這樣的孩子，日日都是好日，時時都是好時。媽咪相信，那樣的日子，一定會來臨的。

因為，你是天堂的孩子喔！

——本文榮獲文學獎

光陰的故事

1

所有平凡與不平凡的故事，都得從小時候說起。從某個地方說起。

小時候，我是個非常小非常小的小姑娘，因為個頭小，身量小，自然膽量也小。我和奶奶、父母親、大弟、小弟、大妹，(那時候小妹還沒有生出來)住在父親任教的屏東農專(那時候當然還沒有改制成屏東科技大學)的日式宿舍裡。我記得那棟宿舍叫第四寮。

那天正是盛夏。

急著一頭一臉都是汗的我，焦灼地站在樹下，看著比我大不了幾歲的鄰居的哥哥們，像猴子一樣地跨坐在粗壯的芒果樹幹上。

他們得意洋洋地抓著知了，扯著他們的牛聲馬喉，硬是逼著可憐的知了，和他們唱和著不成調的歌，任憑我不斷跺腳、百般央求，就是不肯給我一隻。

在夾雜著汗水的淚水裡，我恨恨地向自己發誓：等我長大了，我自己爬上去抓，才不稀罕他們的狗屁知了呢！

就在知了聲聲的鳴唱中，我童年的序幕拉開了。

不久我真得長大了一些，一放學，就夥著住在第五寮、第六寮宿舍的一群同樣生猛的男孩們比賽爬樹。有時也會硬拉著大弟，興沖沖地，攀上門前那株枝繁葉茂的蓮霧樹，渾然不覺他比我小了整整三歲。

彼時知了對我早已失卻了魅力，上得樹時，我根本沒注意牠們的聲聲慢，已經停歇了好一段時日。

我是十歲的大姊頭，我領著我的弟弟妹妹和友伴們，看上了另外一株樹，並以最最粗暴的方式，將樹上長得漫無章法的含笑襲捲而去。

那含笑的身形肥肥短短的，看上去十分滑稽，和名字的溫柔婉約實在很不搭調。

我們扯下一大捧來，急急奔回家，全送給老奶奶供佛。只因為那含笑漫無節制地，一路咯咯咯地笑著，我們越發猖狂，毫不憐香惜玉地，將它們如數摘下來，三天兩頭就塞奶奶的懷裡。在老奶奶九十歲往生迄今，在不是雨紛紛的清明時節，我們一如往昔，將一大捧含笑，送到她老人家位於屏東縣麟洛鄉靈光寺的骨灰罈前。

那含笑委實愛笑得緊，在晨風中，在暮靄裡，在豔陽下，它一逕都是咯咯咯笑個不停，我們學著它的笑，在童年的舞台上，忘我地奔騰、跳躍、翻滾。很快地，我們就嫌摘花輕而易舉的無趣，在含笑愕然的表情中，我們一個轉身，決絕地向另外一處新天地飆去。

2

火紅如血的夕陽時分。

我們幾個孩子，株守在那一畦稻田的鐵軌旁好一陣子了。鐵皮獸終於在我們千呼萬喚的期待中，在田野的另一頭出現了。一時間空氣中盡是汽笛的長短聲，我們興奮得心臟都快跳出來了。

小火車奏著凱歌，向我們急駛而來，我們全成了潑猴，邊邁開大步和它賽跑，邊用力扯動車廂內綁得死緊的一綑綑甘蔗，只想扯出幾支下來就好。沒想到那天的運氣實在太好，嘩啦一下，竟扯出近十支出來。我們迸出驚天歡叫，急著要護住，即將滾到車輪下的甘蔗們。就在這當兒，杵在其中一節車廂的工人醒了過來，他實在受不了這一齣竟敢公然在他面前搬演的鬧劇，氣呼呼地從車上跳下來，要抓住我們。幸運之神一逕慈眉善目地護持著我們，我們得以一邊將掠奪物急急扔進稻田裡，一邊呼嘯著作鳥獸散。可憐的工人追趕不得，再度氣急敗壞地回頭追趕，那已開出一大段路的小火車。

驚魂甫定的我們，慢慢地從結實纍纍的稻田裡走出來。但見眼前夕暉遍染，腳下的大地在落霞中不住地燃燒，溫柔的風，卻一逕慈藹地撫觸著，即將要收割的，每一莖飽滿的稻穗。

一個暗紅色的美麗的夕陽，轉眼就要消失了，而我們這些泥孩子，卻汗出如漿、熱氣騰騰，個個猶如雨後噴薄而出的朝陽旭日。

3

我總是放不開童年的手，因為它會拉著我，回到念念不忘的屏東糖廠。

我曾經在糖廠樹蔭下的冰店裡，面不改色，一口氣吃掉了十根冰棒，仍然意猶未盡。今天屏東三十歲以上的人，一半以上，絕對光顧過號稱全屏東最衛生可口的「糖廠枝仔冰」吧！

前幾年重臨舊地，想再重溫夢境中頻頻出現的枝仔冰，竟驚喜地發現，往日嘈嘈切切，洋溢著歡聲笑語的冰店，以老店新姿的面貌重新營業了。我如在夢中，怔怔地下車，「真是久違了！老朋友。」

從兩毛錢一根的「糖廠枝仔冰」，到三十元一粒的「糖廠冰淇淋」，一晃眼，已是三十年光陰荏苒。

童年再度拉著我的手，在暮色蒼茫中，來到廣東路上的屏東師範附小。

那是我的母校之一。隔著車來人往的馬路，我向校門內那幾株大榕樹打了個招呼。

三十五年前的大榕樹還是少年郎，株株身量細瘦，穿越歲月的淬煉，它們大多別來無恙，依舊站立在它們當年站立的位置，在操場邊，在大禮堂後，在圖書館前，幾番風雨，少年郎已變成穩重沈著的中年人，依舊在風裡雨裡，翩翩地拂動著它們的枝枝葉葉和樹鬚，依舊笑靨可親。

在一個夜色逐漸四合的傍晚，玩得全身溼透的我，從學校一路狂奔回家。

我把今天的身子越縮越小，以便當年十一歲的我，可以在晚餐前，悄無聲息地，走到榻榻米上的長條桌前，享受母親做的一頓晚餐。

我看到個頭正在竄高的我，正等著要幫母親拿碗筷，正等著父親說：「把桌子收拾好，要開飯囉！」於是我們便將長條桌上的功課收起來，把碗筷鋪上去。

這當兒就有弟弟或妹妹會大聲告狀：「媽，妳看某某沒有把桌子擦乾淨，還有很多橡皮渣……」、「爸，某某還在玩，不肯過來幫忙……」

吃過晚飯，我們再度將桌面收拾乾淨，兩張長條桌又併成一張大桌，我們五個孩子就各據桌子的一角寫功課、作勞作。母親坐在玄關的木板上串珠珠，串一百粒可以賺到兩塊錢。爸爸則在另一頭的小桌子上批改作文，作文題目大多是一些勵志類和抒情類。

透過閃閃爍爍的路燈，我看見院子裡一樹的小桂花，在細雨霏霏中，撲簌簌地飄落著，淡淡的花香飄進屋子裡，飄進正咬著筆，要寫「國慶日感言」作文的我的鼻子裡。

4

丁秀芳老師在白天說，這篇作文寫得好的同學，將代表班上參加學校的作文比賽，文章還會刊登在校刊上。

看著父親用硃筆在作文簿上一絲不苟地批改、圈點，並一一寫上評語。清瞿的臉上，毫無不耐之色。一個靈感，悄悄地在我心中浮起：寫這種文章，不外就是把武昌起義和國父的偉大事蹟，好好地連結在一起，結尾無論如何一定得強調，「要效法革命先烈的精神，反攻大陸，解救同胞，讓青天白日滿地紅的國旗，飄揚在大陸神洲之上。」

萬萬沒有想到，我的這篇作文，竟意外地得到全校第一名，並刊登在校刊上，這下我真是大大地露了臉啦。

嘗過這次甜頭後，我整個人就像是被下了蠱。之後的作文課，丁老師若是以「我的志願」為題，我就攜著我的想像力，天馬行空任意翱翔一番，從女科學家、女物理學家、女醫生到女校長，真是朝立夕改，不如變了多少卦，卻每每都是些金光閃耀、冠冕堂皇的工作。好像不如此氣壯山河、撼天動地，就不夠體面似的。

我在一路寫來的「我的志願」的作文裡，發下的宏願，曾經多如天上星辰，像唱歌似的，立下一個又一個偉大的志願，完全不去衡量自己的信用額度，大鳴大放、遍地桃李，以為只要祭出「反攻大陸」作總結，就可以順利過關，一切O.K.了。

所以，在丁老師要我們寫「一支鉛筆的自述」時，我依然不變應萬變，堅持我永遠如一的作文風格，做如下的評語：「……我一定要把字寫好，努力用功，將來才能成為社會上有用的人，報效國家，完成反攻復國的大業。」

志向也好，抱負也好，做一支鉛筆也好，我一逕振振有詞地告訴自己：「一定要這樣寫，才可以把作文寫好。」

有一天，教室二樓窗外，那株大王椰子樹，在午后的一場大雷雨中，意外地被雷殛，傷重不治。丁老師為了安撫我們的情緒，就出了一個「懷念校園的椰子樹」的作文題目。

這株椰子樹當然是我的好朋友，它英年早逝，當然令我傷心不已，於是我借景抒情，盡情地哀悼了它一番。結束時則化悲憤為力量，文氣一轉，一如往例地寫著：「椰子樹已經提早走完了它的生命旅程，我們在悲傷之餘，更應該發憤圖強，努力用功，完成反攻復國的大業。」

整整兩個學期下來，無論寫什麼內容的作文，每當寫到結尾時，我一定如法炮製，且樂此不疲。

為了救我於水深火熱之中，某天下課後，丁老師把我叫到辦公室，告訴我：「並不是每一篇作文都一定要這樣寫。」末了，她還送了一本《作文指南》給我。這才正式結束了我的作文反攻大業。

5

童年跑得太快，像飛一般，我遠遠地被它拋在後面。無奈之餘，只能改跑另一條叫作青春少女的路。

當年住在農專的日式宿舍裡，最獨特的，除了一屋子的榻榻米外，就是窗邊的木質窗檯。白天，我可以避開和弟弟妹妹對長條桌的爭奪戰，獨自坐在窗檯上，讀書寫字，愜意得很；夏夜，則可以在上面，躺臥整夜，讓涼風把我的四肢百骸吹透；還可以學著言情小說中思春的女主角，伸出裸露的雙臂，沐著月光，看著銀色的光輝，一點一點地，鍍上我細細瘦瘦的臂膀和脖頸。

而星期天的下午，我殷切地等著家人睡著，可以騎著腳踏車，直直地向市中心而去。一路穿過白花花的太陽，穿過馬路兩旁的椰子樹和尤加利樹，穿過屏東醫院，頂多半個小時吧！我可以在屏東女中大門口左側轉角的對面，就在迤邐展開的近廿家小吃攤前，我會有機會，和一位可能正要從屏東女中，打完籃球出來的男孩，不期而遇。

那天午後，我在綠蔭蔭的樟樹下，一家綠豆湯攤前，看到我的白馬王子，呃，正操著極不輪轉的臺語，向國語一樣極不輪轉的老闆娘買綠豆湯。

那時候政府正大力推行國語，在學校若說方言，往往會被抓到訓導處，罰寫一百遍的「正氣歌」，之後，老師還會給你精神訓話：「說臺語就是沒水準，說臺語等於不愛國……」等等，云云的話。

我暗戀的白馬王子，是住在崇蘭里的眷村子弟。聽說他的父親是駕駛飛機的軍人，半年前，飛機摔下來死了。國語說得一級棒，那些奇怪的ㄓㄔㄕ……的捲舌音，他可以毫不費力地，從他那線條俊美的小嘴裡，一個一個，字正腔圓地吐出來。

在樹下邂逅白馬王子的畫面，本該讓我臉紅心跳，外加張口結舌，也許還該暈死過去，畢竟我已經為白馬王子，寫了整整半年的私密日記。

那個知了聲聲不息的午後，站在樟樹下的我，自始至終，杵在綠蔭裡，完全沒有讓白馬王子知道我的存在。我只是怔怔地看著一頭一臉汗水淋漓的白馬王子，用蹩腳的臺語，向老闆娘結結巴巴地說：「呃，哇……唔嘜呷綠豆，咁嘜呷……湯……」

我怔怔地瞪著，白馬王子牽著腳踏車，從我面前走過，然後默默地將寫了半個晚上的短信取出，慢慢地撕成碎片，像是儀式般地，將它們朝樹上拋去，連著我不知愁的童年，和略帶苦澀的初戀，一併飛向亮燦燦的半空中。

6

國中畢業那年，學校因為場地不夠大，特別借了屏東公園附近的屏東戲院，舉行畢業典禮。典禮結束，循例放了一部由美聲影后茱麗安德魯絲主演的電影「真善美」給我們看。影片中動聽的歌曲、動人的劇情和美麗迷人的景色，至今仍在我心中縈繞迴旋。

那時候的我，兀自認為：人生就是戲，戲就是人生！

若干年後，我才一點一點地體會：人生不是戲！人生，酸甜苦辣幾十年；而電影，兩、三個鐘頭就給它演完啦！

畢業典禮那天，十六班的小美人劉維麗沒有來。她在孔廟後面那座游泳池裡淹死了。聽說當天池子裡的人幾乎塞爆，而她究竟是怎麼淹死的，沒有人知道。當年屏東女中全校應該不到兩千人吧，在學校裡跑趟福利社、去回辦公室、上個廁所，誰和誰都照過面。突然有死亡這件事襲來，全校師生都傻住了！何況劉維麗本來就很有名，她皮膚白裡透紅、眼睛黑黑亮亮，功課又好，許多外校的男生，都偷偷地喜歡她。

劉維麗的出殯日，在畢業典禮的前一天舉行，許多老師和學生都去送葬。劉快治校長還特別頒了畢業證書，給她哭得快昏死過去的父母。從劉維麗在大連路的家，一直到下屏東的火葬場，迤邐的送葬隊伍中，人人神情悲戚，沒有一個人嘻笑聊天。十五歲，春的年齡，穿著黑色披風的死神，卻提早光臨，任誰都受不了。

在越來越沉重的升學壓力下，我怔怔地瞪著，劉維麗清秀無比的黑白照片，很想告訴她：「至少妳不用：再像我們一樣……苦苦地讀書了！」

美麗的劉維麗，她一直停留在十五歲！一直一直，停留在青春的十五歲。

7

民國七十年，以良師良醫為終生志業，一生作育英才，並救人無數的父親，竟因腎疾惡化遽逝。一代仁醫能活人，而大限來臨，卻無法救己。慟哉！

父親出殯日，我涕淚滂沱，悲不自勝，思及與他一世的父女情緣，如斯遽爾中斷，千般不甘、萬般不捨。父親的遺體送往火葬場火化後，我在火葬場外，竟撞見一樹觸目驚心的鳳凰花，以鋪天蓋地之勢，向我襲來。我被那一樹啼紅，震駭得無法自已，幾幾乎以為，那是家人泣下的椎心悲血，一時之間，悉數塗抹在樹身。

「父親啊，請您老人家，慢慢地走！」

一路從天真無邪的少女、青少女，漸次走入哀樂中年，逐漸在歲月裡埋葬的，不僅只是青春、健康，也許還有若干思維、理念，以及一些困惑，和尚未體悟的其他。早已不再是樹上狂摘含笑，樹下狂奔嘶叫的野丫頭了，屏東的四季在不同的水果植蔬裡分明遞遭，雖然全年高溫依然居全國之冠。

各式各樣的店面和賣場出現了，阡陌田疇，陸續變成了住宅大廈和商業大樓，隨著一批批新社區人口和就業人口的遷入，屏東和全省其他城市一樣，每隔一段時間，你會驚喜地發現，它，又變了！

中正路上的彰南行，變成了五層樓的彰南百貨公司，屏東戲院不見了，中央戲院不見了，富山戲院不見了，麥當勞、肯德基和德州炸雞越開越多，它們每開一家分店，就蔚成人潮洶湧的商圈。太平洋 SOGO 儼然成為屏東的地標，在每一個夜裡，彷如一顆燦爛美麗的鑽石。

8

無論是夢中，還是親身回到屏東，看到不斷在改變的，跟著時代的節奏感，穩穩在前進著的，屏東大大小小的景象，常常問自己：眼前這棟美麗壯觀的建築物，之前又是什麼呢？

穿越時空，穿越愛憎，穿越生死，白雲可以化為蒼狗，滄海可以化為桑田，在光陰的流裡，我只能選擇默默地穿越，逐年在增添的角色中成熟，並漸漸老去。

每當我在不同的角色裡，疲憊不堪時，覷著空檔，我就會回到屏東的老家，休養生息一陣，因為那裡可以容我以最最單純的女兒角色，靜靜地耽溺在老家溫暖的臂彎裡，流眄光陰的變化。

從台北飛往屏東，不到五十分鐘就到了。屏東，一直在改變中，在未來的每一個日子裡，它，還會繼續在改變。

但是，無論它如何變化，總有一些東西，是無法改變和取代的，即使經歷再多再多的光陰的淘洗。

家，是遊子唯一的靈魂休憩所。

家，在哪裡；

故鄉，就在哪裡。

——本文榮獲文學獎

我是一隻小小鳥

我記得我的第一篇作文「我的志願」，是在小學二年級的時候寫的。

那時候我的導師，是位剛從師範學校畢業不久的一位年輕女孩。甜甜的臉蛋、亮亮的眼睛、長長的秀髮，用緞帶紮了根馬尾，緞帶的顏色每天都不一樣。馬尾巴隨著老師輕盈嬌小的身子，在腦後甩呀甩地，像極了明媚春光裡，翩翩起舞的美麗彩蝶。

班上的每一位同學都好喜歡她。

我一面盯著年輕老師美麗的臉，一面一半國字，一半注音，在作文簿上，歪歪斜斜地寫著：我的志願是做一位小學老師。

即將要交出去的當兒，我不經意地看到鄰座同學的志願；好傢伙，她居然「要做一位女科學家！」我一急，告訴自己：「千萬別被比下去了！」於是匆匆把「老師」槓掉，換上了「校長」。也不管裡面的內容，能不能和校長的權責風馬牛相及。

「校長是管老師的，絕對可以和女科學家去拼！」我想。

如此這般，在不識愁滋味的那些年頭，每每寫到類似「我的志願」的作文時，我都是攜著我的想像力，天馬行空，人云亦云一番。從總統（或夫人），到某某長，到某某家，到醫生……。真是朝立夕改，不知變了多少卦；卻每每都是些冠冕堂皇的職業。好像不如此氣壯山河、撼天動地，就不夠體面、光彩似的。

我在一路寫來的「我的志願」裡，發下的宏願，曾經多如天上星辰，輕鬆自在地，立下一個又一個志願，完全不去衡量自己的信用額度，大鳴大放、遍地桃李。好像黃口小兒，在黑漆一片的戲院裡，找不到媽媽，急了，大聲叫喚，全然沒有一點顧忌。

如今回想，或許這便是成長的一部分吧？

志向也好、抱負也好、夢想也好，當龍吟虎嘯的時候，總以為來日方長，未來種種遠著哪！可以慢慢計劃、慢慢成形。做夢也想不到，歲月如流，一轉眼，未來，卻轟隆轟隆地，逼近眼前了。

就像黃金時刻，在我們的生命之流中，如萬馬奔騰、滾滾而過，可我們卻聽若罔聞、視而不見；又如我們經常在天使走後，才知道祂曾經來過。然而開出去的支票，遲早得兌現。

面對斯情斯景，比較謙虛的人，會訕訕地說：「馬齒徒增，一事無成」，是一回事；比較認命的人，會低吟淺唱：「老來方知萬事空」，是另一回事；而大部分的人，則是惶惶然，看著鏡中人華髮漸生、容貌漸老，想留住鏡中人不得，更是一回事。

一個人到了一個年紀，便急急忙忙想結婚生子，不是沒有原因的。這是另外一種「不信東風喚不回」的移情心態吧？

志願的大小，往往與年紀成反比；也就是說，年紀越大，雄心反而越小了。不可一世的、理直氣壯的志願，彷彿發育中的孩子的衣服，每隔一段時間，便會縮小一點，一直到穿不上身的尷尬尺寸，然後被棄置到一個隨時會被出清的黑暗角落裡。

人生，總是充滿錯愕。就是這些張皇失措、始料未及，才越發讓人感覺命運不被掐在手掌心的失落吧！

於是回頭的、昂首的，似乎都有那麼一點兒遺憾。

正因為這樣，我對那些夙懷大志，自幼至長，一直能夠持之以恆的人物，也就更為佩服得五體投地了。

哪怕是或緣於沒有畢竟全功，或緣於時也、運也、命也的客觀因素，而致最後功虧一簣；但是，只要想到那美好的一仗我已然打過，這樣的人生，便差堪告慰了。

怕就怕老之將至，一路走來，兩手猶自捧著一些七折八扣再打對折的，所謂「雄心壯志」。食之、無味，棄之、又覺不甘。想重新立志、續寫人生，又失卻當時熱情的火焰。

這樣的人生，便十分十分的悲哀蒼白了。

我想：與童騃時候的鴻圖大志相較，中年人牢騷滿腹的未竟之志，便無寧顯得可笑復可憐了。

本文轉載自《為悲傷繫上蝴蝶結》

我和陽光少年在祕密花園的戀情

無論經歷多少哭笑相參、得失錯愕的歲月，在過往的辰光裡，總有一個場景，我會被記憶的機制緊緊捕捉。

有時候，是在乍一踏進一個鬧烘烘的生日聚會裡……

有時候，是在拿起背包，正要從一節捷運車廂走出來時……

有時候，是在欣賞一部電影，明知道真實的生活，比電影的劇情，還要來得艱難許多，卻還是被一路迤邐漫開的情節牽引；前一會兒還在歡顏大笑，後一會兒眼淚卻已不自覺地滲出眼角，就在唇花與淚光轉換的當兒……

那當兒，我會看到陽光少年踏著皎潔的月色，像水一樣地，流進我的心中。

有時候，我會很納悶，「應該」出現在記憶裡的，為什麼不是自己的家人，不是自己相濡以沫的朋友，而是這位與自己只見過一次面的少年呢？

有時候事務纏身，有一段極長的時間，陽光少年沒有在我的心底浮現，就在我以為應該不會再想起他時，陽光少年一身紅銅色的皮膚，笑瞇瞇地在我的記憶中，再度躍出。

高三那年，那是一段每日必須三更燈火五更雞，埋首讀書的，不堪回首的歲月。聯考之日，彈指即到矣！

一個星期日的早晨，黎明之前已然K了一大段書的我，為了對抗越來越洶湧的瞌睡蟲襲擊，急急從家裡逃出，想躲到附近一所學校，免得被它們逮住。我跑得如此慌張，以致腳步踉蹌、氣促心跳，每一口氣都喘得那麼辛苦。在熹微的晨光中，兩滴淚正沿著眼眶流下來，我不想拭去，反正，晨風會把它們吹乾。

一個黎明，在悄悄醞釀的同時，也在悄悄消融。日子一天天地過去，它們會像水珠一樣，無聲地綻開，又無聲地化掉吧。

十七歲，正青春少艾的我，竟感覺不出一絲陽光的熱度和亮度。

就在那時，我看到抱著球的他，一個人在籃球場上，忘我愉悅地奔跑、跳躍、飛騰、灌籃、跳投，翻身一記應聲入網的美妙姿勢，令我舉手幾欲鼓掌叫好。一連串激烈的動作，使他的喘息聲獵獵作響。

球場一角的水泥地上，一本書在晨風中，嘩啦嘩啦笑不攏嘴，全沒個節制。天啊！那本書和我手裡的，竟然是同胞兄弟。

每一瞬息，都在渙漫變化的朝陽，像是成千成萬成億的玻璃碎片，佈滿他全身，將他罩在一層令人不可逼視的金光耀眼的光束裡，連帶他臉上、身上，涔涔滾動的汗珠，也化為最璀璨璁瓏的黃金雨。

神采煥發的他，像一面亮澄澄的鏡子，清楚鑑照出聯考當頭下，一位惶惶不可終日，身心幾乎失衡的十七歲女孩，蒼白憂鬱的容顏。

若干年後，聽說陽光少年上了船，做了船長。又若干年後，聽說船在汪洋中遭遇颶風，少年經過一番勇敢抗拒後，與船同歸大海。這就是我每一憶及，就不禁悠然神往的「初戀故事」。

那天早晨，站在榕樹下的女孩，自始至終，沒有走出來，和陽光少年說過一句話。可是，陽光少年如朝煦旭日般的美好形像，卻如一片天籟，在女孩當年沉悶如一潭死水般的心湖上，激起朵朵晶瑩的浪花。

無論季節如何轉換，星月如何浮沉，陽光少年從來沒有老過。他總會在我不經意的時候，悄悄地從我定了格的畫面中走出，與歷經歲月淘洗翻轉，眼眸已漸失晶亮的我，深情凝視、深情擁吻、深情繾綣。

既使逆著光，我依然看得到陽光少年眼中兩團灼灼的光，他為我燃起的愛火，摧枯拉朽地，燒去我在俗情世界的那一片廢墟。

我喜歡這樣祕密花園式的戀情。一種隱藏在記憶深處的歡愉。無以言宣的，對青春形體與感官芬芳的謳歌與禮讚。永恆不渝的眷戀與珍惜。

而你，可曾擁有這樣一位陽光少年？

本文轉載自《為悲傷繫上蝴蝶結》

當玫瑰不叫玫瑰的時候

名字又代表了什麼呢？
被我們稱為玫瑰的東西，
即使換上別的名字，依然芬芳無比！

莎翁的這句名言，一語道破了名實之間，並非等號的關係。

就像蒲松齡活到七十六高齡，曾國藩被稱為清室中興名臣，類此名實相符的人物並不多見。相反的，卻有不少名實完全背道而馳的人物：如明朝東廠特務頭子魏忠賢……

魏忠賢為誅殺異己，在他手中，不知虐殺冤死了多少忠藎賢良，偏偏名字裡又忠又賢；流寇張獻忠更是集亂臣賊子之大成，他又何曾獻了一絲半點的忠心來著？如是，沒有香味的樹木，說成檀香有誰信？行事邪惡的人，雖自封為君子，也是白搭。

由此看來，所謂「司馬相如、藺相如，果相如否？長孫無忌、費無忌，能無忌乎？」雖然只是文人一時的巧思妙對，卻也多少透露了幾許不言而喻的人生玩味。

然而，事實上，時至今日，仍有不少人執著於姓名可以反映出一個人的家世、出身等背景，甚至影響其性情、心術、行為，乃至一生命運。總以為「名如其人」或「人如其名」，才是真真正正最好的姓名。

那一年的夏天，即將臨盆的前夕，我撫著腹中的胎兒，搬出了辭源、字典，並翻閱摘記，希望能為即將出生的孩子，取個最好最美的名字。

我既要還就筆劃，又要兼及意思不俗、發音響亮、字體結構勻稱……，雖然一張又一張的白紙上，已經陸陸續續，填滿了一個又一個，自認為高雅俊逸的名字，我卻傻地遲遲不能下決定。

一向自視為理性的意識形態，被濃郁的「母性」摧毀了。

歷經兩天一夜的掙扎奮鬥，一度瀕臨休克的難產邊緣，在生死一線間，孩子終於出生了！我淚流滿面，緊緊地摟著她。孩子睜著黑白分明的眸子看著我，眼裡天晴地朗，沒有一絲驚惶與疑惑。一場今生的緣會就此註定。

我問自己：

你到底期望孩子成為什麼樣的人呢？

所謂聰明出眾，就一定能幸福快樂嗎？

而平凡、平庸、無名也者，就一定不能幸福快樂嗎？

有的花謝了，留下禿枝枯乾；有的花謝了，卻留下果實纍纍。

如果，最終綻不開花蕊，那就做一片青翠的綠葉吧！人才是有層次的，星星絕不會因為月亮的存在，而失去自己的價值。

年輕時候的我，迷糊與夢幻在身上，混合成疑似浪漫的氣質，總以為世界掌握在自己的手中，遂以懵懂的勇氣，欣然地奔向不可知的險地。在經歷了一段又一段，疲憊的旅程後，吃了不少的苦，幸運的是，也看到了不少的真相。

逼近中年，對無常和危險，都有一份尊敬，體會了真正的勇氣，乃是一天又一天，謹慎而虔誠的生活，去面對朝朝夕夕，亂中有序的種種現實。

生命中的粗糙和無常，常常磨得我們身心俱疲，這時候，什麼樣的心情和態度，才能讓我們不時記得那些美好和柔軟，而再度揚帆鼓翼呢？

人生，經常有「行到水窮處」的時候，若能事先培養出一些興趣，往往能隨緣，也隨興地「坐看雲起時」吧！

所以，調整出不一樣的心情和態度，往往會讓我們發現：生命的過程中，其實安排了許多的密碼，在一一揭開謎底之前，何不一切付諸趣味？

那一年的八月末梢，一場鋪天蓋地的滂沱大雨過後，雨珠和陽光欣然合一，化而為虹，經天緯地的七色長虹，是經過一番與雷電風雨的廝殺和激戰之後，才在廣闊的穹蒼騰空而起的。

虹的每一個顏色，都在那位劫後餘生的母親血脈裡，燦然高歌；

卿卿吾愛，幸會。

心心合一，如虹。

窗外陽光熾眼亮麗，我似乎聞到，陽光溫暖的氣息。在靄然的煦風中，我忽然看到，十幾隻小小的粉蝶，翩翩地飛進眼簾。

她們身穿嫣紅、鵝黃、鴨綠、紫艷、浮金、粉藍、乳白、銀灰……，各色華彩斑斕的舞衣，在美麗的光塵中，忽兒交融、又忽兒散開，像美麗的絕世舞姬，忘我地蹁躚起舞著。

絕美的光之舞！

絕艷的影之舞啊！

愛和感動像陽光一樣，灑進我心裡，還投下斑駁的美麗影子。就在這時，我的眼淚一滴一滴地掉了下來。

這動人的一幕畫面，令我歡喜讚歎、珍惜感恩，也帶給我電光石火般的靈感，

探微知著。

洞澈人生。

探……微。

生命裡有許多美麗的經驗，都是不能事先預料和安排的。它們之所以令人銘心刻骨、永難忘懷，正是因為過程以後，很不容易再發生。如何掌握並珍惜一份，剎那即是永恆的感動，莫過於經常懷著一顆柔軟的心，去探那人間世裡，一切有情有義的、有笑有淚的生命之微。

如是，我輕輕地親了親懷中美麗如玫瑰花苞般的女兒；並將那疊苦苦思量了一些時日的名字，輕輕闔上，收進抽屜裡。

本文轉載自《為悲傷繫上蝴蝶結》

那一路搬演的情節

好風好水的三月天，她帶著女兒，到台北市信義路二段的「聖瑪莉」，吃了一客沙朗牛排和起士磨菇湯，然後到旁邊的「金石堂」買了兩本光禹的書送給她，算是給她十四歲的生日慶生。女兒的笑容像春花一樣燦爛。看到「鼎泰豐」門口，意外的竟然沒有多少人，索興又進去買了三籠蟹黃包子。

就在這時，五、六個大孩子，冷不防跑到她面前（跟蹤她多久啦？），笑嘻嘻地塞給她一把滿天星，又笑嘻嘻地跑開。她兜著滿懷美麗的星星，打開夾在當中的小卡片，三行娟秀的字體映現眼簾：

我們好愛您
和您在一起的日子好愉快
真希望時光能慢慢兒走

呦呦鹿鳴，食野之苹。我有嘉賓，鼓瑟吹笙。「我也好愛你們！」她蜜蜜甜甜地想著。但是天下無不散的筵席，她已經從教務處那裡，確知過了這學期，她將不再教他們這一班。真希望時光能慢慢兒走，不正是她的願望嗎？她胸中湧起一股混雜著幸福與哀愁的惘然之感。

一幕幕的往事，如落英繽紛，散落的姿態片片不同，每片都各具美麗的花紋，在閃閃爍爍。她忽然看到一個年輕的男孩，伴著一個年輕的女孩，跨過馬路，向信義路二段另一頭的國際學舍走去。

十二月的寒風在戶外呼嘯，偌大的國際學舍大廳裡，女孩是一尾在半空中騰飛跳躍的快樂的魚，任由男孩帶著翩翩起舞。女孩確切地知道，有什麼在心裡悄悄發酵，等著她去確認；但是她也確切地知道，當午夜的鐘聲響起，快樂幸福的朝露，就要提前蒸發。

暗黑太空中，旋轉運行的地球，遙遠時空外，正在誕生成型的星系們，都在那個美麗的夜裡，輕聲呢喃。哦，真希望時光能慢慢兒走。

午夜的鐘聲，終於響起。

「走吧！我送妳回去！」男孩輕輕地說道。

他們繞著寧靜的麗水街，踩著一地厚厚的寒霜，走過平日裡燈火輝煌、人車熙攘，當時卻顯得空寂一片的師大路和龍泉街，最後來到燈火闌珊的浦城街，女孩的住處停下。

天地逆旅，百代過客，那億萬年後，必然來臨的毀滅虛空，請再延緩億萬個億萬年吧。女孩的心裡在悄悄祈求：真希望時光能慢慢兒走！

男孩在女孩額頭輕輕吻了一下，女孩大笑著轉身開門，一滴淚趁機滲出眼角，她在轉動門把的同時，輕輕將它拭去。不敢回頭，因為想到回頭，就會化成石頭的那個故事。

男孩已經是別人的未婚夫了，女孩當時的男朋友正在軍中服役呢。故事沒有再發展下去或許是好的，岔出的故事裡，不一定會發展出更精彩的情節。

若干年後的另一個聖誕夜，做了母親的女孩，牽著女兒的手，從早已改建成大安森林公園的婆娑林木間走出來，在靜靜的月光下，和正攜家帶眷的他，不期而遇。他們熱切地寒暄、揮手道別。

「這位叔叔好像是媽媽的老朋友嘛？」女兒問她。

她笑瞇瞇地點頭。「是的，這位叔叔是媽媽廿年前的老朋友了！」

不遠處，燈光流動的「比其」百貨公司在向母女招手，她要帶著女兒去那裡，買她心儀已久的泰吉熊。

朔風獵獵的十二月，母親和亭亭玉立，比自己高出一個頭的女兒，從信義路二段專賣各類運動鞋的「飛象」走出來。這條路真是民生樂利，一段路還沒有走完呢，許多東西都買齊了。

女兒抬高了腳上那雙剛剛買下來的 JORDAN 十三代，臉色凝重地對母親說：「這幾天我很傷心，我那些同學也是。聽說 JORDAN 明年就不再打球了！」

不遠處的百貨公司依然燈光流動，不過已改名為「活我」百貨公司了。真希望時光能慢慢兒走！她現在能夠清楚記得國際學社的那次舞會，是民國六十三年的事了。因為次年的她，曾經有一段時間，比女兒傷心了一千萬倍不止。

那年的四月十六日上午，她在信義路拐過新生南路，右轉而下，仁愛路二段的中國廣播公司對面路邊，和另外的近十萬個人，依依不捨地送別一位老人家。那種至大的哀傷，像滔天巨浪襲來，讓她動彈不得。當車隊緩緩開過她面前，她鼻頭一酸，傷心的淚水，嘩地淌滿一臉。「請您老人家慢慢兒走！」她哽咽地哭著。清楚地感覺到某種東西，正從她緊緊絞扭的雙手指縫間流走。

還會再有什麼樣的震撼，能夠激發這麼多的人，心甘情願地，沉浸在如此巨大的漩渦中，浮浮沉沉，不願走出來呢？那樣萬眾一心、野祭巷哭，又一吋一吋活轉過來的感覺，真是畢生難忘的動人時刻。真希望時光能慢慢兒走。

今年的一月一日，她帶著像黎明空氣一樣清新的，那些大孩子和女兒，像往年一樣，先參加完升旗典禮，然後在拂曉的晨光裡，從總統府廣場開始起跑。

灰雲翻白，橫抹半天，綴飾了紅粉朝霞，天色漸藍，天空的每一秒鐘，都在翻揚天色，每一剎那，都在變換光景。一個美麗的日子，悄悄地展開了序幕。

一位穿著灰色無袖短褲運動服的中年男子，迎面跑過來，笑瞇瞇地向他們打招呼。幾個孩子不約而同，驚叫了起來：「啊，那不是馬英九市長嗎？」

在朝陽冉冉上升的同時，她清楚看到，他們一路跑過的信義路、杭州南路、仁愛路上金光燦亮，彷如一條鋪上了滾動碎鑽的黃金大道。啊！真希望時光能慢慢兒走。

本文轉載自《為悲傷繫上蝴蝶結》